MÉLUSINE ET PHILÉMON

Par les larmes et le sang

Catalogage avant publication de Bibliothèque et Archives nationales du Québec et Bibliothèque et Archives Canada

De Vailly, Corinne, 1959-

    Mélusine et Philémon

    Sommaire: t. 3. Par les larmes et le sang.

    ISBN 978-2-89723-142-2 (v. 3)

    I. Titre. II. Titre: Par les larmes et le sang.

PS8593.A526M44 2012   C843'.54   C2012-940420-9
PS9593.A526M44 2012

Les Éditions Hurtubise bénéficient du soutien financier des institutions suivantes pour leurs activités d'édition:

- Conseil des Arts du Canada;
- Gouvernement du Canada par l'entremise du Fonds du livre du Canada (FLC);
- Société de développement des entreprises culturelles du Québec (SODEC);
- Gouvernement du Québec par l'entremise du programme de crédit d'impôt pour l'édition de livres.

Illustration de la couverture: Magali Villeneuve
Graphisme: René St-Amand
Mise en pages: Martel en-tête

Copyright © 2013, Éditions Hurtubise inc.

ISBN 978-2-89723-142-2 (version imprimée)
ISBN 978-2-89723-143-9 (version numérique pdf)
ISBN 978-2-89723-154-5 (version numérique ePub)

Dépôt légal/1er trimestre 2013

Bibliothèque et Archives nationales du Québec
Bibliothèque et Archives Canada

Diffusion-distribution au Canada: Diffusion-distribution en Europe:
Distribution HMH   Librairie du Québec/DNM
1815, avenue De Lorimier   30, rue Gay-Lussac
Montréal (Québec) H2K 3W6   75005 Paris FRANCE
www.distributionhmh.com   www.librairieduquebec.fr

Imprimé au Canada
www.editionshurtubise.com

CORINNE
DE VAILLY

MÉLUSINE ET PHILÉMON

Par les larmes et le sang

tome 3

Hurtubise

De la même auteure

Jeunesse

Série *Mélusine et Philémon*, 3 tomes, Montréal, Hurtubise, 2012-2013.
Série *Emrys*, 6 tomes, Montréal, Les Intouchables, 2010-2012.
Série *Celtina*, 12 tomes, Montréal, Les Intouchables, 2006-2010.
Série *Phoenix, détective du Temps*, 3 tomes, Montréal, Trécarré, 2006-2009.
À l'abordage, marins d'eau douce, Saint-Bruno-de-Montarville, Goélette, «L'envers des mots», 2011.
Morgan, le chevalier sans peur, Saint-Bruno-de-Montarville, Goélette, «L'envers des mots», 2011.
Morgan et les hommes des cavernes, Saint-Bruno-de-Montarville, Goélette, «L'envers des mots», 2011.
Morgan et les fantômes du Forum, Saint-Bruno-de-Montarville, Goélette, «L'envers des mots», 2012.
Mon premier livre de contes du Québec, Saint-Bruno-de-Montarville, Goélette, 2009.
Mon premier livre de contes du Canada, Saint-Bruno-de-Montarville, Goélette, 2010.
Mon premier livre de contes des 5 continents, Saint-Bruno-de-Montarville, Goélette, 2011.
Mon premier livre de contes de Noël, Saint-Bruno-de-Montarville, Goélette, 2012.
L'amour à mort, Boucherville, éditions de Mortagne, 2010.
Le concours Top-Model, Montréal, Trécarré, «Collection Intime», 2005.
La falaise aux trésors (épuisé), Montréal, 1996.
Une étrange disparition (épuisé), Montréal, 1996.
Miss Catastrophe (épuisé), Montréal, 1993.

Adultes

Chimères (avec Normand Lester), Montréal, Libre-Expression, 2002.
Verglas (avec Normand Lester), Montréal, Libre-Expression, 2006.

Biographie

Quand je serai grand, je serai guéri! (avec Pierre Bruneau), Montréal, Publistar, 2004.

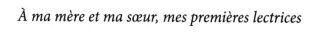

À ma mère et ma sœur, mes premières lectrices

Le voyage de Philémon

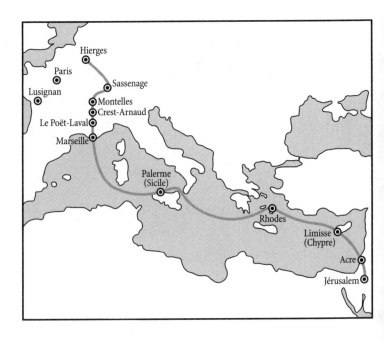

Personnages

9

Ide de Chiny : Sœur d'Alise de Chiny, dame d'Apremont.

Louis de Hierges : Quatrième fils de Manassès de Hierges et d'Alise de Chiny.

Manassès de Hierges : Père de Heribrand, Henri, Albert, Louis, Gautier et Mélissandre, époux d'Alise de Chiny.

Mélissandre de Hierges : Sixième enfant et dernière-née de Manassès de Hierges et d'Alise de Chiny.

Personnages issus de la légende de Mélusine

Ainarde de Sassenage : Épouse de Guigues, mère de Jean.

Antoine de Lusignan : Quatrième fils de Raimondin.

Aymeri de Poitiers : Oncle de Hugues de Forez et de Raimondin.

Berbone de la Marche : Épouse d'Odon de Lusignan.

Christine de Luxembourg : Épouse d'Antoine de Lusignan.

Églantine de Bohême : Épouse de Renaud de Lusignan.

Florie d'Arménie : Épouse de Guyon de Lusignan.

Frédéric, roi de Bohême : Père d'Églantine de Bohême.

Fromont de Lusignan : Septième fils de Mélusine et Raimondin, moine à Maillezais.

Geoffroy de Lusignan dit Grande-Dent : Sixième fils de Mélusine et Raimondin.

Guigues de Sassenage: Seigneur de Sassenage.

Guyon de Lusignan: Troisième fils de Mélusine et Raimondin.

Hermine de Chypre: Épouse d'Urian de Lusignan.

Hugues de Forez: Frère de Raimondin de Lusignan.

Jean de Sassenage: Fils de Guigues de Sassenage et de dame Ainarde, moine chartreux.

Mélusine, la fée: Épouse de Raimondin, mère de ses dix garçons.

Odon de Lusignan: Deuxième fils de Mélusine et Raimondin.

Orrible de Lusignan: Huitième fils de Mélusine et Raimondin.

Raimondin de Lusignan: Époux de Mélusine, père de ses dix garçons.

Raimonet de Lusignan: Dixième fils de Mélusine et Raimondin.

Rémon de Sassenage: Second époux de Mélusine.

Renaud de Lusignan: Cinquième fils de Mélusine et Raimondin.

Thierry de Lusignan: Neuvième fils de Mélusine et Raimondin.

Urian de Lusignan: Premier fils de Mélusine et Raimondin.

Personnages inventés

Albérade : Mère de Druon, le berger.

Druon : Berger à Sassenage.

Gueuledeloup : Brigand, chef de la Grande Compagnie des Dracs.

Grégoire d'Irfoy : Fils de Galiotte d'Irfoy, cousin de Philémon, membre de l'Ordre de l'Épée.

Sancie : Servante d'Alise de Chiny.

Lucina de Lusignan : Onzième enfant de Mélusine, fille de Rémon de Sassenage.

Médard de Trefféac : Paladin, membre de l'Ordre de l'Épée.

Méloé de Sassenage : Descendante de Lucina de Sassenage et de Lusignan.

Odeline de Meyraux : Épouse de Heribrand de Hierges.

Philémon de Hierges : Fils naturel de Helvis d'Irfoy et de Manassès de Hierges, descendant de Mélusine.

Ursin de Liry : Paladin, membre de l'Ordre de l'Épée.

1

Tapi derrière un rocher saupoudré de neige, le félin était aux aguets. Ses petites oreilles triangulaires ornées de touffes de poils rabattues, il observait sa proie depuis longtemps, ramassé sur lui-même, attendant le bon moment pour lancer son attaque. La surprise faisait partie de ses techniques de chasse ; l'aube, son moment préféré. Soudain, sans crier gare, sa victime désignée détala. Dépité, le loup-cervier* releva la tête, il n'était pas un coureur émérite pour s'élancer derrière un chevreuil, et encore moins sur un terrain aussi accidenté que ce versant empierré des Quatre-Montagnes. Par ailleurs, son ouïe fine avait repéré un bruit à cent toises* en contrebas. Ses yeux perçants fouillèrent les rochers, ses vibrisses s'agitèrent. Des effluves inconnus montaient vers lui ; il reconnut l'odeur caractéristique des hommes et des chevaux. De sa démarche gracieuse et silencieuse, il s'éloigna en direction de sa tanière, marquant la neige fraîche de ses empreintes.

Peinant sur les dernières coudées de la pente escarpée, Grégoire et Philémon, tirant leurs chevaux et mulet par la bride, débouchèrent, à bout de souffle, sur le plateau recouvert de neige. Transis et épuisés par la longue ascension, ils s'écroulèrent au pied du rocher qui, un instant plus tôt, avait abrité le félin. Tout autour d'eux, les montagnes se dressaient tels des murs infranchissables. Les cris des vautours qui planaient à partir des sommets et parfois le craquement des rochers sous le gel perçaient le silence ouaté. Depuis quatre jours et quatre nuits que les deux cousins parcouraient la montagne, ils n'avaient aperçu de loin en loin que des chevreuils et des bouquetins aux yeux effarouchés et quelques mulots étonnés.

— Je n'en peux plus, soupira Philémon en massant ses mollets au bord de la crampe.

— La cabane ne devrait pas être bien loin, le rassura Grégoire, en s'ébrouant pour chasser la neige qui alourdissait son manteau.

— Tu as dit la même chose hier et nous avons dû passer la nuit dehors ! bougonna le page.

D'un geste agacé, il essuya la sueur glacée qui mouillait son front.

— Cesse de râler, veux-tu ? le rabroua le chevalier. Je ne connais pas plus le chemin que toi ! À l'auberge, on m'a simplement indiqué qu'il y avait des cabanes à intervalles réguliers le long de notre parcours…

— On s'est peut-être écartés du bon sentier, gémit Philémon, tandis qu'une contraction à la jambe gauche lui tirait des grimaces de douleur.

— Non, nous sommes sur la bonne voie. J'ai remarqué les marques gravées par les bergers sur les rochers, comme on me l'a mentionné. Nous sommes ralentis par l'abondance de neige que j'ai sous-estimée.

— Peu importe! Les chevaux ont faim, jeta Philémon toujours grognon. Il faut trouver une cabane et surtout du fourrage.

— Je sais. Alors, lève-toi et reprenons la route! ordonna Grégoire en joignant le geste à la parole.

Philémon se remit péniblement debout. Ses mollets étaient durs et lui faisaient mal, mais le bien-être d'Étoile filante lui tenait plus à cœur que le sien. Il tira son cheval et le mulet, puis mit ses pas dans les traces laissées par son cousin. Toutefois, après quelques enjambées, le premier renâcla et l'autre refusa d'avancer. Tous deux humaient l'air en grattant le sol du sabot.

Inquiet, Philémon caressa l'encolure de son alezan afin de le rassurer. Les empreintes du loup-cervier dans la neige attirèrent son attention.

— Qu'est-ce que c'est? murmura-t-il pour lui-même.

— Encore en train de marmonner! railla son cousin qui se retourna.

— Viens voir!

Grégoire s'approcha avec nonchalance, mais lorsque Philémon lui indiqua les traces, le chevalier s'accroupit pour mieux voir.

— On dirait des pattes de chat.

— En plus gros! Beaucoup plus gros! s'exclama le page. Cela ressemble aux empreintes d'un caracal*, comme on en voit chez nous, dans le royaume de Jérusalem.

Grégoire éclata de rire.

— Qu'est-ce qu'un caracal serait venu faire dans les Quatre-Montagnes? Tu dis n'importe quoi. Allez, viens! l'invita-t-il, en tirant sur la bride d'Étoile filante pour la faire avancer.

Philémon le suivit. Il remarqua des traces d'urine du félin dans la neige, mais garda cette information pour lui, craignant que Grégoire s'esclaffe de plus belle en le traitant de couard*.

Il leur fallut encore deux heures de pénible ascension pour enfin découvrir le toit pentu d'une cabane en pierres sèches, protégée du vent et de la neige par un surplomb rocheux. Leur irruption au bout du sentier délogea des bouquetins qui cherchaient de la nourriture aux alentours.

Grégoire leva le loquet de bois qui fermait la porte de la cabane. Après un rapide coup d'œil à l'intérieur, celle-ci lui parut assez grande pour accueillir deux voyageurs et leurs animaux, d'autant qu'il restait du foin sec dans un coin. Grâce à la chaleur corporelle des bêtes, les cousins se garderaient au chaud, le temps de manger et de se reposer.

Une fois le pain et le fromage achetés à Montelles avalés et une bonne rasade du vin coupé d'eau contenu dans son outre en peau lampée, Philémon s'étendit sur la paille et finit par s'endormir. Grégoire s'allongea, réfléchissant aux derniers propos échangés avec les paladins Ursin de Liry et Médard de Trefféac. Les chevaliers errants avaient convenu de prendre un chemin différent de celui des deux cousins, dans l'intention d'arriver à Sassenage les premiers. Les gorges du Furon abritaient de magnifiques grottes appelées les Cuves. Selon la légende, ces cavernes naturelles avaient autrefois constitué l'un des refuges de la fée Mélusine. Peut-être qu'à cet endroit, les membres de l'Ordre de l'Épée trouveraient des réponses à leurs questions. Puis, la fatigue l'emportant, Grégoire s'assoupit.

Environ quarante-cinq minutes plus tard, Philémon se réveilla en sursaut. Des yeux, il inspecta l'intérieur de la cabane; les chevaux et le mulet étaient calmes et son cousin dormait. Le page s'interrogea sur ce qui avait bien pu le troubler. Il délaissa sa couche de paille et s'approcha de la porte; le loquet intérieur était fermé et le battant bien en place. Le vent s'était levé, il l'entendait chuinter dans la toiture. Immobile, il se concentra sur le moindre bruit. Il en était sûr, il se passait quelque chose aux alentours et cela l'avait réveillé. Pour en avoir le cœur net, il souleva le verrou de bois et tira le ventail vers lui, puis il passa le nez dans l'embrasure, se tenant sur ses gardes, prêt à claquer la porte au nez d'un intrus ou d'un animal sauvage. Il ne vit rien et s'enhardit en avançant son corps dans l'ouverture. Rien. Il fit trois pas. Toujours rien. Rassuré, il s'éloigna d'une toise, histoire de vérifier les alentours, et soudain, un son étrange le figea. Il attendit quelques

secondes. Le bruit reprit. C'était une sorte de halète-
ment, ou plutôt un râle. N'écoutant que son courage,
il se dirigea dans la direction d'où paraissait venir le
gémissement. D'abord il vit un pied qui saillait derrière un rocher. Il s'approcha et remarqua que la jambe
était agitée de tremblements. Cette fois, il n'eut plus
aucun doute, quelqu'un avait besoin de secours. Il
allait se précipiter pour aider l'homme lorsque la
pensée d'un piège l'immobilisa. Au dernier village, ne
les avait-on pas mis en garde contre les routiers qui
avaient fait de la montagne leur domaine ? L'un d'eux
simulait peut-être un accident pour se jeter sur lui.
Philémon pivota et courut à la cabane pour quérir
l'aide de Grégoire.

Quelques minutes plus tard, ils transportèrent le
blessé dans leur refuge. À première vue, il s'agissait
d'un berger, en tout cas son accoutrement le laissait
supposer. Il portait d'épaisses braies ocre, une tunique
brune et courte s'arrêtant aux genoux et, par-dessus,
une esclavine*, le tout protégé par un épais gilet sans
manches taillé dans une peau de mouton. Philémon
avait ramassé le sac vide et le bâton brisé qui gisaient
près du corps dans les rochers. Le pâtre avait-il tenté
de se défendre ? Contre qui ou contre quoi ?

En l'examinant, Grégoire ne trouva ni morsure ni
griffure. Un animal sauvage n'était probablement pas
la cause de l'état du berger, à moins que ce dernier n'ait
réussi à se défendre avec son bâton et à repousser son
attaquant.

— Je vois une grosse entaille sur l'arrière de son crâne, remarqua Philémon en désignant un peu de sang séché dans les cheveux blonds du blessé.

— Il a dû se fendre la tête en glissant sur un rocher, commenta Grégoire.

Le chevalier déchira une manche d'une de ses propres chemises et l'imbiba de vin coupé d'eau pour nettoyer la blessure.

— Ce n'est pas grave. Il en conservera une petite cicatrice. Il est assommé, mais devrait bientôt revenir à lui.

— Je vais ramasser de la neige pour lui faire des compresses fraîches, proposa Philémon. Et après, je lui appliquerai un peu de cet onguent que m'a donné frère Anthime à Marseille.

La préparation du mire hospitalier avait fait des merveilles sur ses brûlures subies sur le bateau, puis sur ses mains gelées lors de son exploration du donjon de Crest-Arnaud. Il ne doutait pas qu'elle réussisse à cicatriser efficacement la coupure du blessé.

Mais à peine eut-il mis le pied dehors que Philémon s'immobilisa. Couché sur un rocher, non loin de la porte, un animal le fixait de ses petits yeux perçants.

— Je le savais! siffla le page entre ses dents.

Il recula à petits pas et réintégra le refuge.

— Grégoire! Viens voir, je te l'avais bien dit! C'est un caracal!

Les deux voyageurs restèrent sur le seuil de la masure, à bonne distance du félin, sans le lâcher du regard. La bête alanguie profitait d'un rayon de soleil réchauffant le rocher pour sommeiller.

Quelques minutes plus tard, un gémissement les ramena à l'intérieur au chevet du berger qui s'était redressé sur les avant-bras pour inspecter la cabane en clignant des yeux. Il recouvrait peu à peu ses esprits.

— Bonjour! lui dit Philémon en lui tendant son outre.

L'homme le salua d'un signe de tête incertain qui lui arracha une autre grimace de douleur, puis s'empara du petit sac de peau qu'il porta à ses lèvres sèches.

— Je suis Grégoire d'Irfoy et voici mon cousin Philémon de Hierges.

— Druon! répondit le pâtre, en avalant une autre gorgée. Merci de m'avoir secouru.

— Que s'est-il passé? le questionna Philémon, en reprenant l'outre avant que l'homme l'ait complètement vidée de son contenu.

Les yeux clairs du berger, qui ne devait guère avoir plus de vingt ans, coururent du visage de Philémon à celui de Grégoire, paraissant se demander s'il pouvait leur faire confiance et leur parler en toute sincérité. Finalement, il se décida:

— Au crépuscule, hier, je n'étais plus très loin de cet endroit où je voulais me reposer, lorsque j'ai entendu résonner un cri effroyable dans la montagne. Un hurlement à vous glacer le sang, messires…

Pour ménager son effet, le berger marqua une pause, avant de reprendre d'un ton bas, comme s'il leur confiait un secret:

— À cette heure-là, il n'y a qu'une seule créature qui puisse mener un tel tapage, c'est le *leus warous**.

Les cousins se contentèrent d'échanger des regards perplexes. *Leus warous*, voilà un genre de bête qui leur était totalement inconnu. Le jeune homme s'en rendit compte.

— *Leus warous*, insista-t-il dans son patois.

Constatant que ses interlocuteurs ne rétorquaient rien, il précisa :

— C'est un homme qui se transforme en loup les nuits de pleine lune. Il s'attaque aux gens. On dit qu'en une morsure, il peut les métamorphoser à leur tour ou, s'il ne trouve pas d'êtres humains à qui s'en prendre, il agresse le bétail.

Grégoire esquissa un sourire, tandis que Philémon fronçait les sourcils et haussait les épaules. Ce type de créature n'existait pas dans le royaume latin de Jérusalem, ou alors ils n'en avaient jamais entendu parler. Là-bas, en Terre sainte, ils s'étaient familiarisés avec la mythologie des Sarrasins qui parlait d'un être qui se transformait en hyène pour s'attaquer aux cadavres des cimetières ou errait dans le désert sous une forme féminine pour égarer puis dévorer les voyageurs. Mais aux yeux des deux cousins, la goule n'était qu'un personnage légendaire, rien de plus. D'ailleurs, ils n'en avaient jamais croisé.

— Je ne pense pas que ces êtres existent, répondit finalement Grégoire. Ta description ressemble à celle qu'on trouve dans les contes pour faire peur aux petits enfants. À mon avis, l'animal qui t'a effrayé, c'est le caracal…

Ce fut au tour du pâtre d'agrandir ses yeux de stupeur.

— Le gros chat sauvage qui se dore au soleil devant la cabane, précisa Philémon, en pointant la porte restée entrouverte. Mais ne t'inquiète pas, il n'attaque pas les humains, seulement les chevreuils et les petits rongeurs.

Malgré son mal de crâne et sa faiblesse, le berger se leva de la couche de paille et vacilla jusqu'à la porte pour jeter un coup d'œil à l'extérieur. Le félin n'avait pas bougé du rocher.

— C'est un loup-cervier. Vous avez raison, c'est plutôt inoffensif, il ne nous attaquera pas à moins qu'il ne soit blessé ou qu'il ne crève de faim. C'est le premier que je vois cette année. Il y en a quelques-uns dans la montagne.

Puis, se retournant vers les cousins, il les dévisagea avec un air perplexe.

— Vous n'êtes pas d'ici vous deux !

Les voyageurs confirmèrent son impression. Grégoire songea que le pâtre n'était pas pressé de leur dire ce qui lui était arrivé, mais il laissa Philémon expliquer qu'ils venaient de Terre sainte et se dirigeaient vers les Ardennes. Toutefois, il se garda bien d'entrer dans les détails de leur quête. L'histoire de l'anneau du Diable ne devait pas être confiée au premier venu. Le jeune homme était sympathique, et il se présenta à son tour : il exerçait effectivement le métier de berger. Il affirma ensuite qu'il pouvait leur servir de guide dans les Quatre-Montagnes. Philémon ne remarqua pas l'air défait de Grégoire. En son for intérieur, le chevalier d'Irfoy pestait. Accompagnés d'un guide qui connaissait bien la montagne et ses raccourcis, ils auraient tôt fait de rattraper les paladins qui les précédaient, et peut-être même de les devancer. Voilà qui ne faisait pas du tout son bonheur.

— Je crois qu'il faudrait que tu te reposes encore un peu, mon ami! déclara Grégoire. Il vaut mieux que tu prennes le temps de te rétablir avant de retourner jouer à la chèvre de montagne sur ces pentes qui me paraissent plutôt abruptes et glissantes.

— Grâce à vos bons soins, je me sens mieux, maintenant, l'assura Druon.

— Je suis de l'avis de mon cousin, intervint Philémon. Reposons-nous jusqu'à demain, c'est plus prudent.

Le chevalier dissimula un sourire satisfait.

— Dis-moi, Druon, toi qui connais bien les Quatre-Montagnes, as-tu entendu parler de Mélusine? le questionna Grégoire.

— Ah oui! s'enthousiasma Philémon, croyant que son cousin allait reprendre son histoire.

— Mélusine, la fée de Sassenage? demanda le berger, en grignotant les provisions que les deux cousins avaient partagées en trois parts égales.

— Celle-là même! répliqua Philémon, en prenant place à son tour sur la paille, entre le jeune homme et son cousin, sans remarquer l'ébahissement de Grégoire qui demeura bouche bée.

Grégoire ne savait pas que Philémon avait découvert des indices sur l'itinéraire ayant conduit Mélusine de Lusignan à Crest-Arnaud, puis à Montelles et Sassenage.

De son côté, le page se demanda pourquoi diable Grégoire ne lui avait pas encore parlé de Mélusine et de sa retraite dans ces montagnes. Mais bien vite, le garçon chassa cette question de ses pensées en se disant que l'explication devait se trouver dans la partie du récit que son cousin ne lui avait pas encore racontée.

— Peux-tu nous parler d'elle ? le relança Philémon.

— Bien sûr. Je vais vous narrer cette légende, puisqu'elle vous intéresse… répondit Druon. Je pensais que vous ne croyiez pas aux contes pour enfants.

Il fit un petit sourire ironique à l'intention de Grégoire, puis enchaîna :

— Il y a longtemps, dans la forêt de Coulombiers, en Poitou…

— En Poitou !… s'exclama Philémon. Mais je croyais que tu allais parler de Mélusine de Sassenage…

— Oui, bien sûr ! Mais mon histoire commence au Poitou… fit Druon, réprimant une légère impatience. Je disais donc, il y a longtemps, dans la forêt de Coulombiers, en Poitou…

Les deux voyageurs écoutèrent une histoire qu'ils ne connaissaient que trop bien puisque c'était, à quelques variantes près, celle que leur avait contée Galiotte d'Irfoy à Jérusalem et qui avait accompagné leur voyage de Marseille à Montelles.

2

Lorsque Druon aborda le passage faisant suite aux aventures de Raimondin en Bretagne, Philémon fit preuve de plus d'attention. Il ne connaissait pas encore cette portion de l'histoire et ne voulait pas en perdre un seul mot.

Après avoir dit au revoir à ses cousins Alanig et Herri, fils du roi de Bretagne, Raimondin de Lusignan revint chez lui. De hameau en village, il ne cessait de s'étonner de ce qu'il découvrait. Ici, on avait bâti une église ; là, un château, et plus loin, de nouvelles constructions étaient sorties de terre en son absence. Cependant, le vieux chevalier qui l'accompagnait ne répondait à aucune de ses questions, se contentant de sourire de façon énigmatique. Alors que la troupe s'engageait dans un village qui lui était inconnu, Raimondin interpella un manant qui s'évertuait à regrouper un troupeau de cochons grognons.

— Quelle est donc cette belle église? demanda-t-il en désignant un superbe édifice de pierres neuves.

— Messire, c'est Mélusine qui nous en a fait présent! répondit le vilain*. Elle l'a fait édifier en quelques jours.

— Comment est-ce possible? le pressa Raimondin.

— Eh bien, elle est arrivée à cheval un matin, avec un groupe d'ouvriers. Elle-même s'est mise à l'œuvre. Elle travaillait si vite qu'on avait l'impression que les pierres se taillaient et volaient toutes seules pour se placer au bon endroit. En moins de huit jours, tout était fait.

Comme Raimondin le dévisageait sans mot dire, le paysan crut bon d'ajouter:

— Vraiment, vous n'en saviez rien? Messire, tout le monde ici et dans les autres villages vous le dira. Dans toute la contrée, dame Mélusine a construit des églises, des monastères, des couvents, des châteaux et des villages entiers...

Pendant son énumération, le visage du paysan s'était illuminé de joie et de fierté. Raimondin le remercia et poursuivit son chemin, en se demandant s'il rêvait.

Dans les villages suivants, il ne tarda pas à remarquer de nouvelles constructions. De plus, les frontons des églises étaient élégamment sculptés. Sur l'un d'eux, il distingua une jeune femme aux cheveux longs dont les tresses reposaient sur sa poitrine dénudée... Il crut y reconnaître sa femme. Sur un autre, il découvrit la même demoiselle entourée de serpents qu'elle tentait de chasser. Son cœur se serra. Sans s'expliquer pourquoi, il ressentit une certaine appréhension, et il pensa à son frère et à ses mises en garde. Il repoussa néanmoins ses inquiétudes lorsqu'il aperçut une autre gravure représentant Mélusine dans une robe flottante, debout devant un cavalier penché sur l'encolure de sa monture. Il y vit un symbole. Mélusine l'attendait, lui, le chevalier pressé de revenir près de sa dame!

Alors, il tourna bride et, avec sa troupe, il fila en direction de son domaine. Il leur fallait encore traverser de nombreuses cités et villages, et une profonde forêt. La fatigue du trajet le rattrapa bientôt. Il dut se résoudre à faire halte à Parthenay-le-Vieux. Tandis que ses hommes campaient aux alentours, Raimondin se laissa guider jusqu'à une église par le vieux chevalier à la chevelure de neige et au bouclier à la sirène ailée.

— Dites-moi, mon frère, quelle est l'histoire de cette église? demanda-t-il à un moine âgé qui en sortait.

Elle lui apparaissait moins récente que les précédentes et sans savoir pourquoi, il se prenait à espérer qu'elle ne fût pas l'une des œuvres de son épouse. Cette frénésie de construction de Mélusine commençait à le mettre mal à l'aise.

— Hum! Eh bien!... fit le religieux en se raclant le fond de la gorge. Ces murs, ces voûtes, ce clocher ont été élevés par dame Mélusine, en trois nuits. Et le plus étonnant est qu'elle ne travaillait qu'à la lumière des astres, sans pause ni fatigue. Le dernier jour, elle fut surprise par le soleil qui se levait et fila sur son cheval qui laissa une empreinte sur la pierre que voici.

Le moine la lui désigna de la main.

— C'était la dernière pierre qui devait être posée. Depuis, les meilleurs maçons du village se relaient pour tenter de la mettre en place, mais toujours elle retombe. Nous avons donc décidé de ne pas l'installer et de laisser le vide que vous voyez là-haut...

Songeur, Raimondin remercia le moine d'un signe de tête et regagna son campement. Le lendemain, toute l'armée se dirigea vers le lieu-dit la Fontaine-de-Soif, devenu Lusignan.

La haute tour de la forteresse se confondait avec les plus hauts arbres qui l'entouraient et il était impossible de la discerner même de la colline la plus élevée des alentours. Raimondin et ses hommes s'enfoncèrent dans les bois, sans savoir exactement à quelle distance se situait la cité. Mais au détour d'un sentier, le chevalier tira abruptement sur les rênes de son cheval qui pila. Normalement, à cet endroit débouchait un souterrain, il en était sûr. Et pourtant, maintenant s'y étendait un hameau fortifié caché parmi les arbres. Il songea que son domaine était dorénavant presque aussi peuplé que ceux de ses voisins et que ses vassaux semblaient avoir du cœur à l'ouvrage pour le mettre en valeur, car il vit des maçons, des paysans, des gardiennes d'oies et des fileuses au travail. Cependant, tout lui semblait si différent, qu'il se surprit à se demander s'il était bien de retour à Lusignan.

— Suis-je donc enfin chez moi ? demanda-t-il au vieux chevalier qui ne cessait de sourire.

— Ne vous inquiétez pas, messire! Vous serez bientôt près de votre dame.

Raimondin fit prendre le galop à sa monture, mais dut s'arrêter de nouveau, car venait vers lui une foule de chevaliers arborant des bannières azur et argent, les couleurs de sa maison, et des dames élégantes et richement vêtues. Tous le saluèrent.

— Soyez le bienvenu, monseigneur!

La stupeur le laissa sans voix quelques secondes, mais bien vite, il se reprit:

— D'où venez-vous, gentes dames et beaux seigneurs?

— De Lusignan, monseigneur!

Tous se mirent à sourire de façon aussi énigmatique que le vieux chevalier.

— Lusignan est juste là, monseigneur, sous vos yeux!

Ils s'écartèrent et Raimondin découvrit sa forteresse qui s'était beaucoup agrandie depuis son départ. Et s'avançant vers lui, dans un flottement de voiles bleus, sous un mantel de même couleur bordé de plumes de cygne immaculées, retenu par un fermail d'argent, il vit venir Mélusine, sa dame aux cheveux d'or. Derrière elle, couraient ses lévriers et tout autour voletait un tiercelet* qui n'attendait que son poing tendu vers le ciel pour se poser.

— Monseigneur, lui dit-elle tout sourire, bienvenue dans votre domaine. Nous vous attendions avec impatience. Je suis si heureuse de vous retrouver! Je tiens également à vous féliciter, au nom de tous vos vassaux, pour la réussite de votre voyage et de votre quête. Vous avez su défendre votre honneur et le nom de votre maison. Tout le monde ici célèbre maintenant votre gloire.

Raimondin de Lusignan sauta à bas de son cheval et se précipita vers Mélusine qu'il entoura de ses bras. Il ne lui demanda pas comment elle était au courant de la réussite de sa mission auprès du roi Alain. Il ne s'étonnait plus de ce qu'elle sût tout, avant tout le monde.

— Ma dame, vous seule comptez pour moi et malgré mes aventures, il n'en est de plus belle que celle de ce jour où je vous retrouve enfin. Mon mérite n'est rien, c'est grâce à vos bons conseils que j'ai pu garder la vie sauve et obtenir réparation des dommages faits à l'honneur de mon père Henry de Léon.

Le couple se hâta de regagner la forteresse où une fête avait été organisée par les villageois et les gens de sa cour. Les célébrations durèrent huit jours; puis les huit jours suivants, Raimondin et Mélusine s'enfermèrent pour être seuls, en tête à tête, et vivre leur amour en toute intimité. Finalement, ils convièrent la famille de Raimondin et leurs amis proches à les visiter pendant les huit jours suivants. Ses cousins Bertrand et Blanche de Poitiers acceptèrent l'invitation, tout comme son frère, Hugues de Forez, ainsi que de nombreux seigneurs des environs.

Après ces longues festivités, la vie reprit, régulière, douce et sereine. Bientôt Mélusine donna naissance à son second fils, qu'elle nomma Odon. Comme son aîné Urian, le nouveau-né affichait une certaine difformité: il avait une oreille gigantesque qui lui touchait presque l'épaule. Ses parents n'en firent aucun cas et l'entourèrent d'autant d'amour que son frère qui avait un visage court et fort large, deux yeux différents, l'un vert et l'autre rouge, et des oreilles démesurées pour la grosseur de sa tête.

Les grossesses s'enchaînèrent. Un an après Odon, Mélusine accoucha d'un autre poupon, Guyon, dont la particularité était d'avoir un œil placé beaucoup plus haut que l'autre. Vint ensuite Antoine dont la joue s'ornait d'une patte de lion en saillie; le cinquième garçon, Renaud, ne portait qu'un œil, mais celui-ci était doté d'une vision surprenante. Le sixième fut appelé Geoffroy, il était d'une force rare, mais, dès sa naissance, apparut dans sa bouche une énorme dent qui lui sortait d'au moins un pouce de la gencive inférieure. Dès lors, on le surnomma Geoffroy Grande-Dent. Le septième, Fromont, avait une très grosse tache velue comme la peau d'une taupe sur le nez. Sept ans plus tard, un huitième garçon naquit, il avait trois yeux, dont deux sur le front juste au-dessus du nez; c'était un bébé si cruel qu'il tua successivement deux nourrices en leur mordant sauvagement les seins pendant qu'elles le nourrissaient. Dès lors, on le nomma Orrible.

Malgré ses grossesses et ses accouchements, Mélusine travaillait à mettre en valeur le domaine de Lusignan, achetant et faisant fructifier les terres afin d'assurer la prospérité de son époux et de ses fils.

Peu après la naissance d'Orrible, Mélusine fut de nouveau enceinte. Le neuvième de ses fils, Thierry, était d'une beauté sans pareille, sans aucune tare ni difformité;

quant au petit dernier qui arriva douze mois plus tard jour pour jour, il ressemblait tant à son père qu'on lui donna tout naturellement le prénom de Raimonet; il était encore plus beau que Thierry, ce qui n'était pas peu dire.

Pendant plus de vingt ans, la famille Lusignan prospéra et acquit fortune et pouvoir dans toute la région du Poitou.

Un feulement, bientôt suivi d'un brame déchirant, interrompit Druon. Les jeunes gens se précipitèrent vers la porte de la cabane que Grégoire ouvrit à la volée. Des traces de sang les conduisirent jusqu'au rocher où le loup-cervier se prélassait au soleil quelque temps plus tôt. Ils virent le félin en train d'étouffer un chevreuil en lui serrant le cou de ses fortes mâchoires. Malgré leur arrivée intempestive, l'animal ne relâcha pas sa proie, il recula plutôt en l'emportant, maculant la neige blanche de longues traînées rouges.

Les trois jeunes hommes retournèrent à la masure, laissant la loi de la nature suivre son inexorable cours. L'après-midi trottait déjà vers la fin du jour.

— Il nous faudrait aussi nous mettre en chasse si nous voulons manger à notre faim ces prochains jours! soupira Grégoire.

En effet, maintenant qu'ils étaient obligés de diviser la nourriture qu'ils avaient emportée en trois parts égales, le chevalier savait que leurs provisions allaient se tarir plus vite.

— Ne soyez pas en peine, messires, les rassura Druon. J'ai un certain talent pour piéger les lapins, et j'ai découvert quelques ruisseaux bien approvisionnés en poissons. Nous ne manquerons de rien. Je connais cette montagne comme le fond de ma poche.

Ce disant, Grégoire et Philémon le virent se diriger vers la porte.

— Il nous reste suffisamment de nourriture pour deux jours, intervint le chevalier. Reposez-vous encore un peu !

— Je reviens… répondit le berger.

Les cousins en conclurent qu'il avait un besoin urgent à soulager.

Une fois hors de la cabane, Druon se dirigea vers le lieu où le loup-cervier avait disparu. Le félin avait laissé çà et là des traces d'urine pour marquer son territoire. Il se mit à les suivre. Le but du berger n'était pas de retrouver la bête, mais il sacrifiait plutôt à une vieille croyance qui disait que l'urine du loup-cervier avait la propriété de se solidifier pour devenir une pierre précieuse. Malgré toutes les années qu'il avait passées dans les Quatre-Montagnes, Druon n'en avait jamais trouvé, mais il ne désespérait pas de mettre la main, un jour ou l'autre, sur cette fameuse gemme appelée *lyncurius*. Dans son village, on racontait que la bête, pour protéger son trésor, avait l'habitude de recouvrir la pierre de terre. Celui qui en trouvait une avait à sa disposition un talisman fabuleux capable de soigner plusieurs maladies, de la jaunisse aux maux de la vessie.

Partout où il vit un petit amoncellement de paille ou de copeaux de bois, Druon creusa le sol avec son coustel, sur un pouce de profondeur, car selon les croyances populaires, la pierre précieuse avait la capacité d'attirer paille, bois, fer et cuivre comme un aimant. En vain.

Il soupira profondément. Après avoir fouillé les alentours pendant de longues minutes, il se résolut à retourner bredouille auprès de ses nouveaux amis. Ce n'était pas encore cette fois-ci que le *lyncurius* assurerait sa renommée dans les Quatre-Montagnes et ferait sa richesse.

Le reste de la journée, les jeunes gens discutèrent de tout et de rien. Philémon aurait aimé que le berger poursuive l'histoire de Mélusine et parle de la façon dont la légende s'était établie à Sassenage. Mais il n'osa pas orienter la conversation en ce sens. Son empressement aurait pu paraître suspect aux yeux de Grégoire à qui il avait caché le parchemin trouvé dans la tour de Crest-Arnaud.

Druon se mit à les interroger sur leur vie à Jérusalem et sur la Terre sainte qui le fascinait. Les deux cousins n'avaient aucune objection à lui répondre à ce sujet. Leur pays leur manquait et en parler venait adoucir la nostalgie qui les attristait parfois. Le pâtre leur confia avoir songé plus d'une fois à se croiser à son tour, car le métier de berger ne satisfaisait pas sa soif d'aventures.

— Peut-être à l'automne prochain ! soupira-t-il. Et vous, retournerez-vous dans la Ville sainte ?

— C'est ma terre, c'est mon pays ! répondit vivement Philémon. Oui, je retournerai à Jérusalem.

Alors qu'il prononçait ces mots, le souvenir de Sibylle vint danser dans sa mémoire. Son cœur s'accéléra, comme toutes les fois qu'il pensait à elle. Toutefois, il se rendit compte que les traits du visage de la princesse avaient tendance à s'estomper. Son image devenait floue dans son souvenir. Il se demanda si frère Ondaric avait pu mener son ambassade à bien et convaincre Guillaume Longue-Épée d'épouser la sœur de son ami le roi Baudouin. Un petit pincement de jalousie picota sa poitrine. Il inspira profondément pour revenir au moment présent et chasser ses douloureuses pensées.

De son côté, Grégoire s'était contenté d'opiner aux paroles de son cousin. Pour rien au monde, il ne l'aurait avoué – n'était-il pas chevalier ? –, mais il s'ennuyait lui aussi du sable et du vent chaud du désert, de ses anciens amis, de la vie à la cour, mais surtout de sa mère, Galiotte. Il songeait bien souvent aux batailles qu'il aurait pu livrer contre les Sarrasins s'il n'avait pas été désigné pour escorter Philémon et si l'Ordre de l'Épée ne lui avait pas confié une importante mission. Il priait souvent Dieu de lui prêter vie assez longtemps pour qu'il ait la chance de revoir Jérusalem.

3

Le soleil se levait paresseusement au-dessus des hautes montagnes dont le sommet disparaissait sous la neige qui était tombée toute la nuit dans les hauteurs. Pour l'instant, les vallées et la moyenne montagne étaient encore épargnées.

— Ciel vert, neige abondante ! certifia Druon en regardant en direction de l'astre diurne.

Le ciel avait effectivement pris une belle teinte émeraude au-dessus d'eux. Au lointain pourtant, le berger leur indiqua des nuées sombres.

— Ces nuages remontent la vallée et se sont arrêtés sur des déchirures rocheuses. Ils vont bientôt former un mur épais. D'un côté, le soleil luira, l'inondant de lumière et de chaleur, mais de l'autre, tout s'effacera dans des paysages obscurs. Nous devons nous hâter.

Les deux cousins et leur guide quittèrent leur abri, en direction du nord-est.

— Je connais des raccourcis. Nous serons à Sassenage dans moins de deux jours. Il vaut mieux devancer le mauvais temps, précisa Druon.

Grégoire fit la grimace. Affronter une tempête neigeuse ne l'enchantait guère, mais arriver plus tôt que prévu à l'ancien repaire de Mélusine, non plus. Un instant, il songea à feindre un accident pour ralentir leur cadence, mais au fur et à mesure que la neige tombait, il sut que l'idée était mauvaise.

M

Le trio peinait à avancer. Par endroits, la neige poussée par le vent s'était accumulée sur plusieurs coudées d'épaisseur dans laquelle les chevaux s'enfonçaient parfois jusqu'au poitrail. Cependant, Druon leur imposait une marche rapide qui monopolisait toutes leurs forces. Ils cheminaient en silence ; leurs efforts physiques étaient si intenses qu'ils leur enlevaient toute envie de discuter.

Au milieu du jour, ils firent une halte à l'abri d'un éperon rocheux, pour se restaurer et reprendre des forces. Philémon était inquiet pour Étoile filante ; c'était une jument qui n'avait connu que le soleil, le sable et le vent du désert. Elle n'avait même jamais été à la bataille, car dame Sibylle ne la montait que pour la promenade. Pourtant, elle était vaillante et suivait sans broncher la monture de Grégoire dont la morphologie était beaucoup mieux adaptée au terrain escarpé et au climat. La pause d'une heure décrétée par Druon fut tout autant appréciée par les hommes que par les animaux.

Malgré le froid et la crainte que la neige leur inspirait, les deux voyageurs de Terre sainte s'extasièrent devant la beauté glacée des ruisseaux gelés et des cascades glissant des rochers en longues colonnes de cristal luisant de mille feux lorsqu'un rayon de soleil les frappait.

— Il faut partir, décréta tout à coup Druon. Le vent commence à se lever. Nous devons nous mettre à l'abri avant qu'il ne s'amplifie et que des cristaux effilés nous déchirent le visage.

— Cela me fait penser à une tempête de sable, commenta Grégoire.

— Je ne sais pas à quoi ressemble une tempête de sable, répondit Druon, mais je peux vous assurer, messires, que se trouver dehors, dans la montagne, pendant une tempête de neige peut signifier la mort. Dépêchons-nous.

Leur lente et pénible marche reprit et se poursuivit pendant des heures. Rebondissant de roc en roc, les flocons poussés par la brise s'accumulaient en masse pesante sur les hommes et les bêtes, alourdissant les vêtements et les bagages, ce qui ralentissait encore leur progression. Après des heures de silence, le berger tendit le bras devant lui.

— Notre refuge est là, droit devant!

Philémon écarquilla les yeux. Il ne voyait rien qu'une neige épaisse qui le faisait cligner des paupières. Il regarda vers le ciel; il était blanc. Blanc comme le sol qui s'enfonçait sous leurs pas. Blanches étaient aussi les parois montagneuses. Tout était uniformément blanc. Il se demanda si leur guide n'était pas aux prises avec une hallucination.

Brusquement, un grondement assourdissant retentit.

— Vite, vite, courez! hurla Druon.

Pendant quelques secondes, les deux cousins restèrent figés jusqu'à ce qu'ils voient sur leur gauche un grand pan de neige dévaler dans leur direction. La vitesse de ce déversement les surprit. Ils sentirent le sol se dérober sous leurs pieds, puis ils furent bousculés, happés, roulés sans pouvoir résister. Le vent venait de projeter sur eux une accumulation importante de neige qui, depuis de nombreuses heures, était en équilibre instable au sommet d'un rocher. Un appel d'air plus violent l'avait détachée et jetée en bas.

Après ce qui lui sembla durer une éternité, Philémon, suffocant, se mit à cracher la neige accumulée dans sa bouche. En voulant bouger, il se rendit compte qu'il était enseveli jusqu'à la ceinture. Il tourna la tête. Non loin, il aperçut les chevaux et le mulet qui, par miracle, ne s'étaient pas trouvés sur la trajectoire de la coulée de neige. Mais aucune trace de Grégoire ni de Druon. Il gonfla ses poumons qui lui parurent gorgés d'un froid brûlant et hurla leurs noms. Un peu plus loin, une mince coulée de neige se détacha de la paroi et roula jusqu'à lui, sans l'atteindre cette fois. Il était transi, presque ankylosé, il cria encore à quelques reprises. En vain.

« Je dois bouger, sinon je vais mourir de froid ici », songea-t-il.

De sa main droite restée libre, il se mit à gratter la neige avec frénésie pour se dégager. Pouce par pouce, seconde par seconde, il réussit à s'extraire du bloc qui le retenait. Après cet effort qui avait monopolisé sa pensée, la peur envahit son esprit. Où étaient donc ses compagnons? Il s'écarta de quelques pas, mais revint rapidement à l'endroit où il avait failli disparaître. Grégoire était tout près de lui quand la coulée les avait emportés. Il espéra que son cousin n'avait pas roulé trop loin. Le temps jouait contre lui, il devait faire vite. Il courut vers Étoile filante et tira son épée de bois de son bagage, puis revint sur ses pas. Il enfonça la lame à plusieurs reprises dans le manteau neigeux, en ligne droite, espaçant ses sondages d'une petite coudée. Après une demi-douzaine de coups, la pointe de l'arme d'entraînement rencontra un obstacle. Priant pour qu'il ne s'agisse pas d'un rocher, Philémon s'agenouilla et se mit à déblayer la neige des deux mains à la fois, comme un chien qui gratte le sol. Il aperçut bientôt le manteau de Grégoire et redoubla d'efforts. Finalement, il dégagea la tête de son cousin dont la figure virait déjà au bleu. Il était temps. Après avoir glissé un doigt entre les dents du jeune homme pour extraire la neige de sa bouche, Philémon constata avec soulagement que Grégoire s'était mis à haleter, signe que l'air passait. Puis, le chevalier toussa pour expulser les dernières traces de neige dans sa trachée.

— Je te libérerai complètement plus tard, je dois retrouver Druon! cria Philémon, en reprenant ses sondages à la pointe de son épée, à partir de l'endroit où se trouvait le berger lorsqu'il leur avait ordonné de se sauver.

Il sonda le terrain de longues minutes, en vain. Plus le temps passait, plus les chances de sortir le pâtre vivant s'amenuisaient. Philémon dut se résoudre à renoncer à le chercher et consacra toutes ses forces à extraire son cousin de la couverture de neige.

— Tu n'es pas blessé?

— Non. Rien de cassé, apparemment, répondit Grégoire en se remettant sur ses jambes. Et Druon?

Philémon secoua la tête, sans dire un mot.

Attristés par la perte de leur nouvel ami, ils se dirigèrent vers les chevaux, et ce fut non loin de cet endroit, derrière un rocher, qu'ils découvrirent le corps du berger, le visage enfoui dans la neige; il n'avait pas été enseveli. Ils se précipitèrent vers lui. Philémon remarqua que la blessure qu'il portait à la tête s'était rouverte et saignait. Il retourna le pâtre sur le dos et constata avec soulagement qu'il respirait faiblement. Il s'empara d'un peu de neige et en frictionna le visage de Druon qui revint à lui, tout étonné de se retrouver couché sur le sol.

— Que s'est-il passé? demanda-t-il avec difficulté, car son crâne le faisait souffrir.

— Une coulée de neige nous a emportés, répondit Philémon en l'aidant à se redresser.

— Oui, je me souviens! J'ai couru pour m'éloigner en espérant que vous auriez le temps de faire de même, mais j'ai glissé et me suis cogné contre ce rocher.

— Tu nous abandonnais! lui reprocha Grégoire, dont les yeux sombres étaient chargés de fureur.

— Mais non! le détrompa Druon. Je me suis dit que si l'un d'entre nous parvenait à se mettre à l'abri, il pourrait ensuite aider les autres...

Le chevalier d'Irfoy ne croyait pas tellement cette explication, mais décida de ne pas envenimer ses relations avec Druon en l'accusant de lâcheté. Ils avaient besoin de lui pour rejoindre Sassenage, car ayant emprunté des raccourcis, ils ne pouvaient plus suivre les indications obtenues à Montelles.

Encore une fois, Grégoire songea qu'il devait la vie à Philémon. Décidément, son cousin avait une chance incroyable. De son côté, le page remerciait la féerique protection de son aïeule Mélusine. Car il n'avait aucun doute à ce sujet, c'était la fée qui le protégeait, tout en étendant sa bienveillance à Grégoire.

Ils se remirent en route, baissant la tête sous l'averse de flocons de plus en plus fins que le vent poussait furieusement en tourbillons cinglants. Ils finirent par trouver la cabane, comme l'avait indiqué Druon, à une cinquantaine de toises du lieu de l'incident. Ils ne la distinguèrent qu'au dernier moment, alors qu'ils étaient presque parvenus à la porte, tant les chutes de neige les empêchaient de voir à deux pas devant eux. La masure, contrairement à la précédente, était mal en point. Le toit était percé et laissait passer les flocons. Grégoire s'employa vite à colmater le plus de trous possible avec des vêtements. Philémon se rendit compte que la paille abandonnée dans un coin était humide et impropre à la consommation des animaux. Avec l'aide de Druon, ils la jetèrent dehors pour éviter que les chevaux et le mulet la mangent, au risque de se rendre malades.

— Nous ne pouvons même pas l'utiliser pour allumer un feu, soupira le page, dépité. La fumée nous étoufferait. J'espère que nous n'aurons pas à rester ici trop longtemps, ça pue, c'est inconfortable et nos bêtes n'ont rien à se mettre sous la dent.

— Parfois, la tempête peut durer deux ou trois jours, répondit Druon sur un ton désolé.

Une longue et puissante plainte interrompit la discussion. Grégoire et Philémon interrogèrent leur guide du regard.

— Des loups! répondit Druon. Ils doivent être en chasse. Nous sommes en sécurité ici.

— Hum! Je vais essayer de réparer la porte, décréta Grégoire. Je n'ai pas envie de recevoir une visite indésirable, surtout s'ils décident que nos chevaux ou nous-mêmes pourrions constituer un repas de choix.

Grégoire inspecta l'âtre. La cheminée lui parut en bon état. Le chevalier chercha quelques brins de paille secs pour allumer un feu. Heureusement, trois grosses bûches traînaient dans un coin ainsi que des morceaux de bois qui apparemment avaient autrefois constitué une table et deux tabourets, voilà qui serait suffisant pour les réchauffer quelque temps.

— Profitons de notre immobilité forcée pour dormir, dit Druon. S'il tombe beaucoup de neige, la suite de notre parcours sera très ardue.

— Je vais d'abord réparer la bobinette de la porte. Ensuite, je prendrai le premier tour de garde! déclara Grégoire.

Une fois la flambée bien prise, le chevalier se mit à inspecter la cabane pour trouver un morceau de bois à tailler afin de fabriquer quelque chose qui pourrait ressembler à un loquet.

Les jappements des loups durèrent longtemps. Les chevaux piaffèrent, inquiets. Le sommeil ne parvenait pas à emporter Philémon. L'enfant pensait à Mélusine, lui demandant une fois de plus de les protéger.

4

Deux heures plus tard, ils se rendirent compte qu'aucun d'eux ne parvenait à dormir, tandis qu'à l'extérieur, la tempête redoublait de violence. Les trois réfugiés se demandaient quand ils allaient enfin pouvoir mettre le nez dehors et reprendre leur voyage. Pour l'instant, ils étaient à l'abri, mais la nourriture leur faisait cruellement défaut. Grégoire avait partagé en trois leur dernière miche de pain dur et en avait donné les morceaux aux deux chevaux et au mulet.

— Je vais poser un piège, déclara Druon en sortant un collet de son sac. Si je parviens à prendre un lièvre ou un rongeur, ça nous fera un peu de viande à nous mettre sous la dent. Restez à l'abri, je n'en ai pas pour longtemps.

Sans attendre de permission, le berger quitta la cabane, malgré les bourrasques qui tentaient de refermer la porte sur lui. Philémon s'était servi de leurs sacs et de leurs vêtements pour confectionner des coussins, et avait converti leurs manteaux en couvertures.

L'attente pouvant être longue, il avait jugé qu'il était préférable de s'installer du mieux possible, près du feu.

Au bout d'une demi-heure, le page commença à trouver que Druon tardait à réapparaître.

— J'espère qu'il ne lui est pas encore arrivé quelque chose! Il a déjà été assommé deux fois. S'il a un troisième accident et qu'on ne le trouve pas...

— Ne t'inquiète pas, le rassura Grégoire. Il est sans doute allé poser son collet un peu plus loin. Les lapins sont prudents et ont probablement perçu notre odeur. Ils ne vont pas venir rôder tout près de la cabane...

Ils se serrèrent l'un contre l'autre, devant le foyer, afin de bénéficier d'un maximum de chaleur. Les animaux aussi s'étaient rapprochés. La neige s'infiltrait encore à l'intérieur, car le chevalier n'était pas parvenu à boucher tous les trous de la toiture.

— Et si tu me racontais la suite des aventures de Mélusine et Raimondin? proposa Philémon en se frictionnant vigoureusement les avant-bras pour chasser sa chair de poule.

— Bonne idée! répondit Grégoire. Je vais reprendre là où Druon s'est arrêté. Comme il l'a dit, Mélusine eut dix garçons et la famille vécut heureuse.

En lui-même, le chevalier songea qu'il aurait plutôt dû parler de onze enfants, mais c'était là un secret protégé par l'Ordre de l'Épée et il ne voyait pas la nécessité de mettre Philémon au courant de la probable naissance du onzième rejeton. Grégoire s'éclaircit la gorge irritée par la fumée, puis poursuivit son récit.

Le bonheur que vivait la famille Lusignan commença bientôt à intriguer Raimondin. Dans son foyer, il n'y avait ni dispute, ni jalousie, ni peine, contrairement aux autres maisonnées qu'il connaissait. Alors, il se mit à réfléchir. Il ne savait pas d'où venait cette immense joie; il ne savait rien de bien précis sur Mélusine, si ce n'est qu'ils lui devaient tous leur félicité et qu'il l'aimait comme au premier jour.

Il réfléchissait tant et si bien qu'il chercha à découvrir à quoi tenait une si grande source de chance et d'amour. Plus il y pensait et plus sa promesse lui revenait aussi à l'esprit. Un chevalier – et c'est ce qu'il était – devait toujours honorer sa parole, et il était bien décidé à ne pas la remettre en cause, même s'il ne cessait d'y penser et de se demander comment il allait respecter son serment, car sa curiosité enflait de jour en jour.

Mélusine comprenait toutes les pensées qui agitaient son époux, mais elle n'intervint pas pour empêcher Raimondin de sombrer sous les mauvais conseils que formulait sa petite voix intérieure. Comme elle, il était maître de son destin. C'était à lui de choisir entre ce qui était bien et ce qui était mal. Et hélas, la destinée étant parfois bien fragile, ce qui devait arriver, arriva!

Raimondin et Mélusine revenaient d'un petit séjour dans l'un de leurs domaines et étaient de retour dans leur forteresse de Lusignan. Le soleil venait de se coucher et, comme chaque samedi, Mélusine se retira dans une pièce aménagée spécialement pour elle et où personne, ni ses fils, ni son époux, n'était admis, conformément à la promesse que lui avait faite Raimondin de ne pas chercher à savoir où elle était ni ce qu'elle faisait, depuis le coucher du soleil du samedi soir jusqu'au lever du jour le dimanche matin.

Or, ce samedi-là, Hugues, comte de Forez, décida de rendre visite à sa parenté. Il se présenta donc à Lusignan. Raimondin fut bien heureux d'accueillir son frère qu'il n'avait pas vu depuis plusieurs mois. Hugues entra dans la salle commune et vit une table dressée où son cadet mangeait, seul.

— Où est donc ta belle dame? demanda Forez en prenant place à la table, tandis qu'un serviteur se hâtait de lui apporter une écuelle remplie de nourriture réconfortante.

Raimondin ne répondit pas.

Ainsi, alors que Raimondin tentait de ne pas penser à cette question qui le rongeait depuis le début de son repas, voilà que son frère venait lui-même la poser à haute voix. Son cœur se serra; il sentit une pointe de jalousie lui transpercer la poitrine.

Pendant que Hugues se délectait des bons plats préparés pour Raimondin, celui-ci ne cessait de se torturer en pensée. Il se demanda comment il avait pu, depuis si longtemps – plus de vingt ans! –, accepter de manger seul tous les samedis soirs, sans jamais questionner les motifs de sa femme pour le laisser ainsi toute une soirée et toute une nuit.

«Parce que je ne peux pas trahir sa confiance! se répondit-il à lui-même. Parce que j'ai promis; parce que je ne peux pas remettre en cause sa loyauté.» Il se sentit devenir glacé. «Ma femme ne veut que mon bonheur. Son absence du samedi ne cache aucune trahison, ses motifs sont honorables. Ce n'est pas un caprice. Elle veille à notre prospérité. Oui, mais... elle est peut-être liée, elle aussi, par un pacte? Mais un pacte avec qui? Si elle a fait un serment, sans doute n'était-il pas si honorable que cela, sinon pourquoi ne se confie-t-elle pas à moi, moi qui suis son amour, son meilleur ami? Se serait-elle liée au diable? Non, c'est impossible! Mélusine a construit tant d'églises, de couvents, de monastères, elle n'est pas guidée par le diable... elle ne peut pas l'être! Si ces constructions avaient été faites avec l'aide du malin, elles se seraient déjà écroulées. Il doit y avoir une autre explication. Et mes enfants? Mes enfants...»

Sa pensée se concentra sur chacun d'eux. Urian avec son visage court et fort, son œil rouge et l'autre vert, et ses grandes oreilles; Odon et son oreille démesurée; Guyon et son œil trop haut placé; Antoine et sa patte de lion sur le visage; Renaud qui n'avait qu'un seul œil; Geoffroy et sa dent qui saillait de sa gencive comme une défense de sanglier; Fromont et son nez velu comme la peau d'une taupe; quant à Orrible... Que penser de cet enfant aux trois yeux qui semblait être le mal incarné, méchant, violent, criminel malgré son jeune âge?

«Ah, c'est peut-être pour cette raison que Mélusine est prise d'une frénésie de construction religieuse. Elle veut se faire pardonner d'avoir mis au monde des monstres.»

Son esprit se brouilla, il manqua s'évanouir.

«Non! Je deviens fou. Mélusine est innocente. Elle ne peut pas employer sa nuit du samedi au dimanche à mal faire, alors que tous les autres jours de la semaine, elle est une bonne mère, une bonne compagne, une bonne amante.»

Le comte de Forez reposa son écuelle vide, et le bruit tira Raimondin de ses pensées.

— Mon frère, où est donc Mélusine? insista Hugues.

Lusignan se dit qu'elle devait sûrement être en train de s'occuper d'œuvres charitables, et il songea que depuis vingt ans, l'un et l'autre avaient très bien vécu cette séparation du samedi. Pourquoi tout à coup devrait-il s'en inquiéter? Il se racla la gorge pour répondre d'une voix qu'il voulait ferme, mais Hugues reprit la parole avant que Raimondin ait pu s'exprimer:

— Qu'as-tu donc mon frère? Appelle Mélusine. J'ai bien envie de la voir et de l'embrasser.

Raimondin sentit le souffle de Hugues sur son visage; il releva la tête et leurs regards se rencontrèrent.

— Elle est occupée aujourd'hui, assura Raimondin. Elle s'est retirée du monde jusqu'à demain. Ne t'inquiète point, mon frère, demain, tu la verras et tu constateras à quel point elle sera heureuse de t'accueillir. Reste dormir ici, cela me ferait plaisir et honneur.

— Très bien! J'attendrai donc! répliqua Hugues en affichant un petit sourire ironique.

Depuis le début de l'histoire d'amour de Raimondin et Mélusine, le comte de Forez ressentait une grande jalousie envers le couple. Il n'avait pas, pour sa part, rencontré la femme de sa vie et demeurait célibataire. Par ailleurs, la fortune immense des Lusignan lui faisait envie; à ses yeux, cette richesse était suspecte. Ses soupçons avaient commencé à lui faire échafauder toutes sortes d'idées sur les sources diaboliques de ce bonheur trop beau pour être vrai.

— Je vous attendrai... tous les deux! répéta-t-il, toujours en souriant avec insolence.

En voyant l'air de son frère, Raimondin se remémora les fêtes de ses noces. Il revit la partie d'échecs quand, la main au-dessus de l'échiquier, Hugues lui avait demandé si ce très grand bonheur ne l'effrayait pas, s'il ne craignait pas une surprise. Une mauvaise surprise!

Raimondin avala sa salive. Les mots de Bertrand de Poitiers lui revinrent aussi à la mémoire. Son cousin lui avait maintes fois demandé de lui dire qui était Mélusine, qui étaient ses parents, de quelle lignée était-elle? Chacun connaissait son nom, sa beauté, sa richesse et sa générosité, mais selon Bertrand, cela ne suffisait pas...

— Raimondin! l'interpella de nouveau Hugues. Tu es mon frère, je t'aime et je ne veux que ton bonheur. Je dois te dire certaines choses que j'ai apprises, car il en va de ton honneur et de ta vie. Je te dis ces choses pour ton bien et il est grand temps que je le fasse. En venant à Lusignan, je me suis renseigné çà et là, comme c'est mon devoir de frère aîné. Je dois m'assurer que tu es toujours le même homme heureux qu'autrefois. Aussi, je dois t'avertir. Certaines rumeurs courent dans la contrée. J'ai appris que tous les samedis soirs, pendant que tu la crois occupée à des œuvres charitables, et que toi tu manges et dors seul, ta femme, ta Mélusine, s'étire dans les bras d'un autre. Tu es trop aveuglé ou ensorcelé pour demander en quel lieu elle va de la sorte. Mais tu sais, les gens parlent. Et eux ne sont pas aveugles. Ils comprennent ce qui se passe et se moquent tous de toi. Mélusine ne travaille pas à ton honneur, mais à ton déshonneur, mon frère.

En entendant ces mots, Raimondin devint tout pâle et tremblant. Il se leva brusquement de table, renversant sa chaise ; il fixa durement son frère, puis courut vers sa chambre dans laquelle il s'enferma à double tour afin d'y rester seul avec sa colère, sa douleur, sa jalousie et sa peur.

Attablé dans la salle à manger, Hugues de Forez appela les serviteurs pour qu'on lui apporte la suite du repas, qu'il dégusta avec un grand sourire de satisfaction. Puis, une fois la nourriture mangée et le vin bu, il prit son épée et alla retrouver dans la haute-cour les gentilshommes de la maison de Lusignan pour discuter avec eux.

En bas de la tour, Forez s'amusait et riait avec les nobles, et leurs rires montaient jusqu'à la chambre où Raimondin sentait sa fureur augmenter au fur et à mesure que les éclats de voix lui parvenaient, car il était sûr que les gens de son entourage se moquaient de lui en ce moment même.

Grégoire s'interrompit pour rajouter un pied de table dans l'âtre. Le feu avait bien pris et la cabane était devenue plus confortable, malgré le vent qui soufflait en rafales et la neige accumulée dans le coin opposé où elle se transformait petit à petit en eau.

— Ça fait longtemps que Druon est parti! déclara brusquement Philémon sur un ton inquiet.

— Tu as raison! confirma le chevalier d'Irfoy. J'espère qu'il ne lui est rien arrivé de grave.

Philémon se dirigea vers la porte de la cabane, qu'il ouvrit pour jeter un coup d'œil dehors. Tout était uniformément blanc. La neige, poussée par le vent, avait masqué les traces du berger. Il était impossible de deviner la direction qu'il avait prise. Les rafales projetaient les flocons avec violence; on n'y voyait rien à deux pas.

— Crois-tu qu'il nous a abandonnés? hasarda Philémon, en pivotant vers son cousin.

— Pour quelle raison? Nous l'avons aidé... il a partagé notre pain et notre vin; il sait que nous n'avons plus rien à manger et que la neige peut nous bloquer ici plusieurs jours. Druon ne veut pas notre mort. Il doit y avoir une bonne raison à son absence...

— J'espère qu'il ne s'est pas perdu ou pire, qu'il ne s'est pas tué en chutant d'un rocher ou en glissant, rétorqua le page, en ouvrant encore une fois la porte pour regarder si Druon n'était pas de retour.

Il ne vit rien de plus que la première fois, juste de la neige et des bourrasques. Même les loups s'étaient tus. Il referma et revint s'asseoir près du feu.

— Tu veux que je poursuive l'histoire de Mélusine? offrit Grégoire.

— Non, pas pour le moment… Je me demande si… on ne devrait pas aller à sa recherche.

Les deux garçons gardèrent le silence de longues minutes, se concentrant sur les bruits de la cabane et sur ceux de l'extérieur qui leur parvenaient faiblement, atténués par l'épaisseur de la neige qui les entourait.

Au bout d'environ une heure, n'en pouvant plus d'attendre, Philémon sauta sur ses pieds.

— On doit aller voir!

Il enfila plusieurs tuniques l'une par-dessus l'autre et s'enroula dans son manteau. Grégoire hésita quelques secondes, puis l'imita.

— Il ne faut pas s'éloigner de la cabane, prévint-il. Gardons-la à portée de vue pour ne pas nous égarer.

— Nous serons bientôt de retour, Étoile filante! assura Philémon, en flattant l'encolure de son cheval.

Ils sortirent.

— La tempête se calme, je crois! dit Grégoire, le regard tourné vers l'horizon qui paraissait se dégager.

Courbé, Philémon s'était déjà éloigné. Le chevalier l'entendit appeler le berger. Il joignit sa voix à celle de son cousin.

De temps à autre, Grégoire s'assurait que la cabane était toujours à portée de vue. Il la devinait plus qu'il ne la distinguait vraiment, car le vent poursuivait sa course en les aveuglant de flocons. Ils contournèrent un énorme rocher. Philémon se hissa maladroitement à son sommet, et lança de nouveaux appels. Aucune réponse.

Pendant plus d'une trentaine de minutes, ils fouillèrent les alentours, ce qui les entraîna bien au-delà des limites qu'ils s'étaient fixées. Bientôt, sans qu'ils y prennent garde, la cabane disparut complètement de leur champ de vision. Lorsqu'ils voulurent rebrousser chemin, Grégoire se rendit compte de leur imprudence. Ils ne savaient plus du tout dans quelle direction se diriger.

Penaud, Philémon demanda pardon à son cousin de l'avoir entraîné dans cette vaine recherche.

— Écoute ! l'interrompit le chevalier.

L'oreille aux aguets, ils tentèrent de percevoir le bruit qui avait alerté Grégoire.

— Étoile filante ! s'exclama Philémon. Ce sont ses hennissements. Suivons-les ! Il se passe quelque chose.

Ils se dirigèrent droit devant eux, puisque les sons émis par l'alezan semblaient venir de cette direction. Au fur et à mesure de leur progression, les bruits se firent plus perceptibles. Ils étaient sur la bonne voie.

— Là ! s'écria Grégoire, en désignant une vague forme.

Malgré l'épaisseur de la neige, ils se mirent à courir. À bout de souffle, ils parvinrent finalement à la masure, dont la porte était ouverte. Ils s'y engouffrèrent et tombèrent nez à nez avec Druon, dont le gambison* de mouton était maculé de sang.

— Tu es blessé ! s'exclama Philémon.

Le berger fronça les sourcils, puis remarquant le regard du page fixé sur ses vêtements, il le rassura.

— Non. J'ai pris une marmotte au terrier ! Je l'ai dépiautée. Nous pourrons manger quelque chose... Où étiez-vous ?

Les deux cousins échangèrent un regard. Ils se sentaient tout bêtes de s'être inquiétés vainement, et d'avoir risqué leur vie tout aussi inutilement. D'un accord tacite, ils choisirent de ne pas dire la vérité.

— Besoin urgent ! se contenta d'énoncer Grégoire.

La marmotte fut rapidement cuite et dévorée. Son goût de lapin plut aux voyageurs affamés.

5

Deux jours plus tard, après une marche infernale dans la neige, les voyageurs empruntèrent un étroit raidillon bordé d'un ravin où grondait un torrent impétueux. Ce sentier les mena enfin vers Sassenage, petit bourg dominé par les rochers.

En cette fin de journée, grâce à la fumée sombre que laissaient échapper les cheminées, on devinait, dormant sous leur couvert de neige, les maisons serrées autour de l'église Saint-Pierre.

— Venez chez moi, les invita Druon en montrant du doigt une maisonnette un peu à l'écart, adossée à une écurie.

Les deux cousins hésitèrent à accepter. L'un et l'autre auraient préféré une auberge où ils se seraient sentis plus libres de leurs allées et venues. Mais le hameau n'en avait point à la disposition des hôtes de passage.

— Nous avons une grange, les animaux y seront bien ! insista le berger.

Ce fut cette dernière phrase qui emporta l'accord de Philémon. Il s'inquiétait tant pour Étoile filante! Quant à Grégoire, ne sachant si les paladins étaient arrivés et où ils avaient trouvé refuge, il jugea que la proposition de Druon était finalement la plus sage : il ne souhaitait pas tomber face à face avec Liry et Trefféac pour le moment.

Le pâtre les dirigea aussitôt vers la grange, où ils s'empressèrent de donner du foin sec et de l'eau fraîche à leurs bêtes qui étaient à bout de force. Puis, ils entrèrent dans la maison où une bouffée de chaleur bienfaisante les assaillit, bientôt suivie par l'odeur soufrée, mais ô combien alléchante, de la soupe aux choux qui excita leurs estomacs criant famine.

— Mère, s'écria Druon dès la porte poussée, vite à manger pour mes amis!

Sans mot dire, la femme d'une quarantaine d'années se précipita vers son chaudron accroché dans l'âtre et s'empressa de servir ses visiteurs, tandis qu'ils se débarrassaient de leurs mantels humides.

Pendant qu'ils plongeaient leurs cuillères dans l'écuelle, elle mit les vêtements à sécher sur un tréteau de bois, devant la cheminée, toujours en silence.

— Merci! lui dit Philémon, avec un sourire, cherchant à l'encourager à amorcer la conversation.

— Elle est muette, le renseigna alors le berger.

— De naissance? questionna Grégoire sur un ton étonné.

Le berger hésita, puis constatant que sa mère sortait pour aller chercher du bois sous l'appentis, il se hâta de se confier à ses amis.

— Ma mère n'est pas originaire de ces terres. Elle y est venue à la suite d'un grand malheur.

Druon s'interrompit quelques secondes, puis voyant que Grégoire et Philémon attendaient la suite de son récit, il poursuivit à voix basse :

— Elle était bergère, elle aussi. À seize ans, elle a été forcée par son seigneur…

Le page serra les poings. Il détestait les méthodes brutales et sans morale de certains nobles.

— Lorsqu'elle a voulu dénoncer sa détresse et réclamer justice, poursuivit Druon, le seigneur s'est emparé d'elle et lui a fait couper la langue par ses hommes d'armes* en la traitant de menteuse, mais surtout pour l'empêcher de parler. Même si, en tant que noble, il ne risquait rien, il ne voulait pas que sa réputation soit ternie par une serve*.

Cette fois, le visage de Philémon trahit tout le mépris qu'il avait pour ces méthodes barbares.

— Alors, Albérade – c'est le nom de ma mère – s'est sauvée de son village, continua le pâtre. Elle a erré dans les bois pendant des semaines, en traînant ses atroces douleurs physiques et morales. Un jour, elle est arrivée dans ce village où elle a été recueillie. Après qu'on l'a soignée, elle a fait comprendre par gestes aux villageois le grand malheur qui l'avait frappé. Même si elle n'était pas une paysanne libre, les seigneurs de

Sassenage ont accepté qu'elle s'installe dans une masure abandonnée à l'écart du hameau. Comme ma mère était vaillante et ne rechignait devant aucune tâche domestique, même les plus viles, elle a fini par devenir indispensable aux habitants. Je suis né sept mois plus tard. Personne n'a rien dit, car tous avaient appris à aimer et à respecter ma mère.

Philémon et Grégoire ne connaissaient pas les coutumes de la région, mais ils savaient très bien que Albérade avait eu beaucoup de chance de trouver refuge dans ce village. En effet, une femme enceinte d'un enfant conçu lors d'un viol était toujours mal vue, que ce soit en Occident ou dans le royaume de Jérusalem. Selon les croyances, il n'était guère possible d'être grosse à la suite d'une seule relation. Alors forcément, si une femme le devenait, c'était parce qu'elle avait déjà commis le péché de fornication et qu'elle était responsable de son état. Par ailleurs, en tant que serve, elle n'était ni plus ni moins qu'une esclave et n'avait aucun droit. Dans les circonstances, les seigneurs de Sassenage avaient fait preuve de beaucoup de tolérance et de bonté envers Albérade et son fils.

— Est-ce la raison pour laquelle tu veux te croiser ? demanda Philémon sur un ton attristé. Pour chercher le pardon de Dieu pour l'indignité de ta naissance…

Druon hocha la tête en silence.

— Et ici, tu ne pourras jamais te marier, soupira Grégoire, compatissant.

— Aucune fille des alentours ne voudrait d'un bâtard né d'un viol, confirma le berger. Même si on m'aime bien dans le village et la contrée, je n'ai aucune chance de trouver une épouse. Je dois partir. Quitte à m'en aller, autant aller chercher le pardon, l'aventure, l'honneur et la gloire en Terre sainte.

— Si c'est vraiment ce que tu désires, je te donnerai une recommandation pour Hugonin, le commandeur hospitalier de Le Poët-Laval, l'assura Grégoire. Tu seras entre bonnes mains. Une partie de ceux qui prennent l'habit de l'ordre se rassemblent dans cette place forte avant d'entreprendre le voyage vers le royaume latin de Jérusalem. Tu pourras cheminer en leur compagnie. Tu seras en sécurité.

Druon baissa la tête en voyant Albérade revenir, les bras chargés de bûches. Les cousins comprirent que le pâtre partirait sans le consentement de sa mère.

Après la soupe, le trio s'attaqua au pain et au fromage bleu que la femme posa sur la table. Pour manger, Albérade resta à l'écart, assise sur un bas tabouret grossièrement confectionné, placé devant le foyer.

— Ma mère et moi avons une vache, expliqua le berger. Nous fabriquons ce fromage avec son lait.

Le goût du fromage était fort, et les cousins le trouvèrent très bon.

Puis, le jeune homme alla chercher de la paille dans un coin de la pièce et l'étendit devant l'âtre.

— Nous dormirons ici, nous y serons bien.

Le sommeil emporta rapidement les hôtes et Philémon, mais Grégoire demeura longtemps les yeux grands ouverts. Il se demandait si les chevaliers

Trefféac et Liry avaient pu mener à bien leur mission : découvrir des preuves de la naissance d'un onzième enfant de Mélusine. S'ils ne trouvaient rien ici, c'était à désespérer d'en dénicher jamais. Cependant, à force d'y réfléchir, d'Irfoy était envahi par le doute. Si les émissaires de Pierre Arnaud, autrefois connétable de Tripoli, n'avaient pas cru bon de poursuivre leurs recherches jusqu'à Sassenage, c'était peut-être pour une bonne raison : ils devaient être assurés de n'y rien trouver.

« Argh ! Quelle contrariété de ne pas en savoir plus ! » songea-t-il. Il inspira profondément pour se calmer, puis essaya de mettre de l'ordre dans ses idées.

« Récapitulons ! À l'âge de quinze ans, Raimond de Tripoli se lie avec Pierre Arnaud. Celui-ci lui raconte la légende de Mélusine et lui révèle l'existence d'un onzième rejeton né dans ces montagnes. C'est à ce moment que Raimond entend parler pour la première fois des anneaux et de leur pouvoir. Il convainc le connétable Arnaud d'envoyer des émissaires à la recherche des descendants de cet autre enfant et des anels magiques. Cependant, les messagers reviennent bredouilles, voilà qui est entendu. La princesse Sibylle se retrouve, une vingtaine d'années plus tard, en possession d'une des deux bagues grâce à Amauri de Lusignan, l'amant de sa mère, parce que ce dernier en a hérité de sa propre famille.

« Et maintenant, où est le second anel ? À qui est-il destiné ? Tripoli ne le possède pas... à moins que… Hum! Et si effectivement les messagers avaient rapporté un anneau à Raimond de Tripoli, voilà qui pourrait expliquer son acharnement à revendiquer le pouvoir et à vouloir voler celui qui appartient à la princesse Sibylle. Avec les deux bagues à portée de doigts, plus rien ni personne ne pourrait se mettre entre lui et la couronne. Voyons, voyons! Qui a proposé de marier Sibylle à Guillaume Longue-Épée?»

Il dut réfléchir quelques secondes, puis la réponse lui vint:

«Guillaume de Tyr, le précepteur du roi Baudouin. Et qui a dit que Raimond de Tripoli est le meilleur homme qui soit pour diriger le royaume jusqu'à la majorité de Baudouin? Encore Guillaume de Tyr. Ces deux-là sont donc liés, voilà au moins qui est clair. Et maintenant, Tripoli a-t-il promis quelque chose à Guillaume de Tyr en échange de son soutien? On ne m'a rien dit à ce sujet à Jérusalem. Argh! Liry, Trefféac et moi sommes-nous en train de courir après des chimères? Non. C'est impossible! L'Ordre de l'Épée ne nous aurait pas confié cette mission si les deux anneaux étaient déjà en Terre sainte. Donc, il y en a forcément un qui est caché quelque part… mais où? Ah, j'enrage! Je pourrais faire des recherches tranquillement, ici d'abord et en Poitou ensuite, si je n'étais pas obligé d'escorter Philémon jusque dans ses terres familiales. Selon l'Ordre de l'Épée, mon cousin est lui aussi un descendant de Mélusine. Est-il possible qu'il reçoive l'anneau comme le croit le grand maître, malgré qu'il soit bast? Parfois, j'ai l'impression de gaspiller mon temps, mon énergie et mes capacités, mais peut-être suis-je tout près du but. »

Tout naturellement, il en vint à songer à sa mère Galiotte et au chevalier hospitalier Géraud, le parrain et maître de Philémon. C'était à cause d'eux s'il se retrouvait encombré d'un enfant. Mais l'aurait-on laissé partir s'il n'avait accepté d'être le chaperon de son cousin? Certainement pas! Un chevalier n'était pas libre de disposer de son temps, il devait obéir à son suzerain. Il lui fallait une bonne raison pour quitter son service. Aurait-il été plus simple de le désigner comme messager auprès de Manassès de Hierges pour se faire remettre l'anneau au nom de son fils Philémon? Plus simple, oui, assurément. Mais le seigneur de Hierges n'aurait pas fait confiance à un envoyé. Philémon faisait donc partie de la solution.

Pendant des heures, les pensées de Grégoire le tinrent éveillé. Mais au petit matin, lorsque Albérade sortit pour traire sa vache, il dormait d'un sommeil de plomb. Tous convinrent de le laisser se reposer. Druon et Philémon quittèrent la maisonnette; le premier pour aller s'occuper des moutons de son seigneur, dont il était l'un des nombreux bergers, et l'autre pour prendre l'air.

— Tu ne nous as pas dit pourquoi tu te trouvais dans la montagne lorsque nous t'avons trouvé? l'interrogea Philémon, assis sur un banc de pierre appuyé au mur de la maison.

La mère du pâtre s'approcha et lui offrit une écuelle de lait frais, il s'en lécha les babines.

— Le meilleur chien de berger que nous avions avait disparu. Les autres pâtres m'ont ordonné de le retrouver avant que notre maître l'apprenne.

— Et tu t'es égaré ?

— Non. J'ai entendu le *leus warous*…

Druon s'interrompit pour dévisager Philémon.

— J'ai eu peur et j'ai cherché un abri, finit-il par lâcher. Je savais qu'il y avait une cabane dans les environs, j'ai voulu m'y réfugier. Ces monstres n'attaquent que les humains qui traînent dehors à la nuit tombée. J'étais presque arrivé au refuge lorsque j'ai glissé sur un rocher et me suis cogné la tête.

— Tu penses vraiment qu'il existe des *leus warous* dans vos montagnes ? insista Philémon, avec un petit sourire. N'était-ce pas plutôt ton chien de berger qui hurlait ?

— Ne crois pas aux légendes si cela t'arrange, bougonna Druon. Moi, je sais ce que j'ai entendu. Et fais-moi confiance, je ne serais pas resté là pour tout l'or du monde, pas même pour m'assurer de l'existence de cette créature.

— Pardonne-moi, le pria le page. Je ne voulais pas te blesser. Moi aussi, je crois aux légendes. Tiens, à celle de Mélusine, par exemple.

— Ah ! Elle semble drôlement t'intéresser, cette fée ! Je t'emmènerai dans son repaire dès que j'aurai fini de m'occuper de mon troupeau.

— Est-ce loin ?

— Non, pas du tout. Tu vois ce chemin par lequel nous sommes arrivés, eh bien, on le suit sur un quart de lieue, et ensuite on aperçoit l'entrée des grottes.

Le page hocha la tête, puis trempa son pain dans le lait pour finir son petit-déjeuner, pendant que Druon s'éloignait pour vaquer à ses tâches de berger. Lorsque Philémon fut assuré que le pâtre était suffisamment hors de vue et qu'il ne reviendrait point sur ses pas, il abandonna son écuelle vide sur le banc de pierre, retourna dans la maison et alluma une lanterne avec un tison du foyer, en prenant soin de laisser son cousin dormir. Puis, il s'en fut sur le chemin, avec une feinte nonchalance.

☷

Arrivé à un quart de lieue du village, Philémon inspecta le ravin en bordure du sentier et, très vite, il découvrit en contrebas les grottes qui s'ouvraient au pied d'un rocher. L'entrée lui parut étrange ; elle était carrée, comme si elle avait été faite de main d'homme. Le cours d'eau, appelé le Furon, qui en surgissait, était gelé par endroits. Le page jugea que le courant demeurait vif sous les quelques plaques de glace, mais qu'il pouvait s'y aventurer. Mais la plus grande prudence serait de mise lorsqu'il s'engagerait sur les pierres affleurantes pour s'approcher de l'entrée. L'endroit semblait fréquenté régulièrement, car la pente du ravin avait été façonnée en escalier par des années de montées et descentes, ce qui allait lui faciliter la tâche, d'autant que la terre était dure en cette période de l'année. Avec précaution, le garçon descendit en se retenant aux branches des arbres dès qu'il se sentait glisser. Une fois dans le lit de la rivière, il chercha les pierres et les rochers les plus stables où poser ses pieds pour atteindre sans encombre l'arche carrée des grottes. Le gel rendait sa progression périlleuse, mais il refusa de se laisser rebuter par la difficulté. À plusieurs reprises, il se retrouva sur les fesses, sur des pierres gelées et détrempées. Ses souliers et ses chausses étaient gorgés d'eau. Il se mit à trembler de froid, mais pas question de rebrousser chemin. Enfin, après ce qui lui sembla une éternité, il parvint à la première grotte. Il se tint immobile de longues secondes pour jeter un coup d'œil dans l'entrée éclairée par un demi-jour mystérieux. Du fond de la caverne lui parvint le bruit de l'eau. Levant bien haut sa lanterne, il se faufila alors dans la grande salle. Il s'aperçut que le bruit émanait de trois sources qui alimentaient le Furon. Sur sa droite, s'ouvrait une galerie étroite où il s'engagea sans hésitation. Après s'être heurté deux fois la tête, il comprit qu'il devait prendre garde aux concrétions de toutes tailles qui encombraient les grottes. Cependant, ce que ses yeux percevaient lui ôtait toute inquiétude et douleur. L'endroit était magnifique et terriblement attirant.

— Mélusine, Mélusine… adresse-moi un signe ! murmura-t-il en s'enfonçant de plus en plus profondément au cœur de la montagne.

Grégoire ouvrit lentement les yeux. Il prit conscience qu'il était seul dans la maisonnette, et se dirigea vers la porte qu'il ouvrit. Il s'étira pour respirer à pleins poumons, puis remarqua l'écuelle abandonnée par Philémon sur le banc de pierre. Il appela son cousin à quelques reprises, en vain. Supposant que le page était en compagnie de Druon, il contourna la maison et s'éloigna des habitations pour satisfaire ses besoins naturels dans un trou entraperçu la veille, puis revint tranquillement à l'intérieur. Cette fois, sur la table de bois, une écuelle remplie de lait, du pain et une pomme flétrie l'attendaient, sans aucun doute un présent d'Albérade. Il se jeta avec appétit sur son petit-déjeuner.

L'absence de Philémon se révélait une occasion trop belle pour ne pas en profiter. Le chevalier se dirigea vers la petite église devant laquelle se pressaient les villageois qui venaient d'assister à la messe. Ils interrompirent leur discussion à l'approche de ce visiteur que certains avaient entrevu la veille avec Druon. Les langues allaient bon train. Était-il de la famille de ce seigneur qui avait autrefois agressé Albérade ? Venait-il pour ramener la serve dans le village qu'elle avait fui ?

— C'est impossible, voyons ! s'exclama une futée cardeuse*. Jamais Druon et Albérade n'accorderaient leur hospitalité à des gens qui leur chercheraient noise.

Quelques-uns, qui appréciaient Druon et sa mère, assurèrent qu'il faudrait leur passer sur le corps pour emmener la muette et son fils au loin. Le menuisier proposa d'envoyer son apprenti au château pour prévenir les Sassenage de cet hypothétique enlèvement, même si personne ne savait vraiment ce qui se passait. Bref, les suppositions et les arguments des uns et des autres se répondaient dans une incroyable cacophonie.

Inconscient des alarmes des villageois, Grégoire s'approcha et les salua.

— Dites-moi, bonnes gens, n'avez-vous pas vu passer deux chevaliers ces derniers jours? Ils sont peut-être logés dans une auberge des alentours… Y a-t-il un hostel par ici? Ou au château?

Ce fut le curé qui répondit d'une voix sèche.

— Aucun étranger n'est venu, sauf vous et l'enfant qui vous accompagne, messire! Et croyez-moi, il vaut mieux que vous passiez votre chemin. Albérade et son fils sont sous la protection des seigneurs de Sassenage, jamais nous ne laisserons quiconque les emmener.

Des bâtons, des fourches et des haches apparurent subitement entre les mains des hommes. Grégoire n'en menait pas large. Les villageois l'encerclaient. Il ne pouvait se battre à un contre cinquante. Il comprit qu'on allait lui faire un mauvais parti s'il n'énonçait pas rapidement et clairement ses intentions. Mais évidemment, il lui était impossible de dire toute la vérité. Toutefois, il pouvait les rassurer sur le sort du berger et de sa mère.

— Ne vous méprenez pas! déclara-t-il. Druon est un ami. Mon cousin et moi lui avons sauvé par deux

71

fois la vie dans la montagne, et il nous a invités à partager son logis et sa nourriture pour quelques jours.

— Hum! Amis? Un chevalier et un page, amis avec un simple berger! Aaaah! On aura tout vu! ricana le forgeron armé de ses lourdes tenailles de fer.

À cet instant, il y eut un mouvement dans la foule : celle-ci s'écarta pour livrer passage à Druon qui avait été alerté par un enfant du village. Aussitôt, le berger confirma les dires du chevalier d'Irfoy. Les pics et les fourches s'inclinèrent et plusieurs eurent la mine basse ; quelques excuses fusèrent et bientôt chacun rentra chez soi pour poursuivre ses occupations.

— Eh bien! soupira de soulagement Grégoire. Je suis heureux de voir que ta mère et toi pouvez compter sur de si bons amis et protecteurs.

— C'est pour cela que partir au loin ne m'effraie pas, répondit Druon. Je sais que ma mère sera toujours en sécurité ici et que personne ne pourra lui nuire. Plus jamais on ne lui fera du mal. Et quand je serai de retour de Terre sainte, après avoir obtenu mon pardon, je lui offrirai une vie au sein d'un vrai foyer. Je trouverai une bonne fille, je me marierai et j'aurai des enfants qui feront son bonheur. Elle le mérite!

Grégoire sourit. Il n'osait pas dire au berger que le pèlerinage à Jérusalem ne serait pas une partie de plaisir. Les dangers du voyage et les maladies menaçaient les pèlerins, et pour ceux qui avaient la chance de fouler le sol du royaume latin, restait la menace des cimeterres* des Sarrasins. Peu de croisés rentraient indemnes de leur séjour à Jérusalem. Quand ils en revenaient !

Tout à coup, Grégoire se rendit compte que quelque chose n'allait pas. Il était convaincu que son cousin se trouvait en compagnie de Druon, mais il ne le voyait pas sur cette place.

— Où est Philémon ? demanda-t-il.

Druon lui retourna un regard d'incompréhension, en répondant :

— Quand j'ai quitté la maison, il dégustait son lait assis sur le banc de pierre.

Grégoire courut vers la masure, le berger sur ses talons. Albérade était en train d'en chasser la poussière à grands coups de fagot de joncs. Elle secoua négativement la tête lorsque le chevalier lui demanda si elle avait vu son cousin.

Les deux jeunes hommes inspectèrent les alentours, quand tout à coup, Druon s'exclama :

— Il m'a demandé où était la grotte de Mélusine !...

6

Dès le seuil de la caverne, Philémon sut qu'il avait affaire à un endroit sans pareil. Pendant quelques minutes, il resta immobile, s'imprégnant de la magie des lieux, puis il avança d'un pas déterminé. À une dizaine de toises de l'entrée principale, il trouva une grande salle. Le page fit halte près de deux marmites géantes creusées dans le roc par des tourbillons : elles constituaient assurément une invitation à la baignade. Il se demanda si Mélusine aimait à se prélasser dans cette eau qui lui apparut émeraude et laiteuse. Il y plongea la main, elle était glacée. Puis, non loin de là, dans le faisceau de sa lanterne apparut une immense table mégalithique. Qui l'avait dressée là ? À quoi pouvait-elle bien servir ? Il se promit de questionner Druon à ce sujet. Il examina cet autel avec minutie, mais ne découvrit aucune inscription.

S'enhardissant, il poursuivit son exploration, à la lumière vacillante de sa lampe. L'air était gorgé d'humidité et des bruits de cascades invisibles l'encerclaient.

Plus il avançait, plus le spectacle lui coupait le souffle : dans le fond d'une salle, des draperies calcaires ciselées par le ruissellement des eaux descendaient du plafond. Levant bien haut sa lampe, il procéda à l'inspection des parois, du plafond et du moindre rocher qui l'environnaient. Rien ne retint son attention.

La succession de galeries l'emporta peu à peu au cœur d'un monde magique et troublant. Il n'avait aucun doute, Mélusine avait fréquenté ces souterrains. Tout occupé à son exploration, il ne vit pas le temps passer ni ne mesura la distance parcourue.

Soudain, il lui sembla percevoir des chants. Serait-ce la fée qui l'appelait ? N'écoutant que sa curiosité, il avança sans crainte dans la direction de la voix. Un long corridor, qu'il prit soin de bien examiner, le conduisit jusqu'à une autre salle. À cet instant, il comprit son erreur. Une puanteur infecte et une poussière irritante le saisirent à la gorge. Il retira rapidement son bliaut puis sa chemise de lin qu'il noua autour de son nez et de sa bouche. Levant sa lanterne, il comprit d'où venaient cette odeur et ces débris qui avaient manqué l'étouffer. C'étaient des déjections ! Il venait de déranger des milliers de petites chauves-souris qui s'étaient réfugiées dans cet endroit obscur pour l'hiver. Plusieurs voletèrent autour de lui avant de retourner se percher la tête en bas pour poursuivre leur sommeil. Pourtant, ce n'étaient pas ces pipistrelles qu'il avait entendues puisque les ultrasons qu'elles émettaient n'étaient pas perceptibles par l'oreille humaine. D'ailleurs, les bruits se poursuivaient. Ils émanaient d'une autre salle. Philémon regarda autour de lui, découragé. Comment pourrait-il examiner ce lieu ? Les excréments des chauves-souris se superposaient depuis des centaines et des centaines d'années, créant un tapis qu'il n'avait guère envie de gratter.

« Si je ne trouve aucune indication ailleurs, je n'aurai pas le choix ! songea-t-il. Mais je reviendrai avec une pelle et un pic, et je me protégerai mieux le visage… »

Il se hâta de quitter la grotte aux chauves-souris, en se rhabillant. Il continua d'avancer, plus difficilement, dans une nouvelle galerie dont les parois se rapprochaient par endroits. Il dut se baisser à quelques reprises pour éviter de se fracasser le crâne sur le plafond bas. Le passage devint très étroit. Il hésita, mais sa curiosité le poussant, il se glissa tête première dans une sorte de chatière, en se promettant toutefois de rebrousser chemin si sa progression se révélait plus délicate par la suite. Il rampa sur quelques dizaines de coudées et déboucha dans une petite cavité remplie de concrétions calcaires. L'alternance de galeries étroites, de petites cavités et de grandes salles donnait un côté irréel à son expédition.

« Quelle distance ai-je donc parcourue sous terre ? Cent toises ? Plus ? Hum ! Je ne parviens pas à l'évaluer. Et depuis combien de temps ai-je quitté Sassenage ? Grégoire doit être réveillé maintenant. Il va s'inquiéter et se lancer à ma recherche. Pourtant, s'il existe un autre message de Mélusine, c'est dans ces grottes et nulle part ailleurs que je le trouverai, j'en suis sûr.

Je n'aurai probablement pas de meilleure occasion pour le dénicher... »

Une fois encore, il inspecta les parois à la lumière de sa lanterne. Ne découvrant aucun indice, il poussa un profond soupir de résignation et s'assit sur un rocher. Philémon posa sa lampe près de lui et constata qu'il ne lui restait qu'un tiers de chandelle. Il maudit son imprudence. Il ne savait pas exactement combien de cire il avait consommée depuis sa descente dans les souterrains. En aurait-il suffisamment pour retourner à la surface ? Il devait partir. Il reprit sa lanterne et ce fut à cet instant, à la lueur vacillante, qu'il aperçut, à l'endroit exact où il avait posé sa croupe, une gravure dans le rocher. D'un geste fébrile, il dispersa la poussière et reconnut aussitôt l'arbre généalogique imagé de Mélusine et la devise « *A la fae* ». Mais cette fois, la reproduction comportait quelques éléments de plus : les noms gravés des dix enfants et, ô surprise, celui d'un onzième, Lucina. Le souffle court, Philémon se pencha pour être sûr de ne pas faire erreur.

— C'est bien ça, Lucina, et non Lucien ! s'exclama-t-il. Lucina... Une fille ! Mélusine a donné naissance à une fille...

L'enfant n'eut guère le temps d'analyser sa découverte. Un coup asséné par-derrière l'envoya au pays des songes.

Grégoire et Druon franchirent l'entrée carrée des grottes de Sassenage, cherchant un indice du passage de Philémon à la lumière des lanternes qu'ils avaient emportées. Lorsqu'ils parvinrent près des marmites remplies d'eau, le berger expliqua qu'au village, on prédisait si les récoltes seraient bonnes ou mauvaises en fonction du niveau de liquide contenu dans ces cuves naturelles.

— Et cette table de pierre, on l'appelle la table de Mélusine. On dit que c'est ici qu'elle aimait s'installer pour manger, continua Druon, jouant au guide pour un Grégoire à la fois anxieux pour son cousin et médusé par cette descente dans les entrailles de la terre.

Ils poursuivirent leur recherche.

— Avec un peu d'imagination, on peut voir sa chambre, sa vasque et d'autres souvenirs laissés par Mélusine, et même son vase de nuit! rigola Druon, alors qu'ils se faufilaient dans une allée étroite que le berger appela le "couloir des Tombeaux".

À intervalles réguliers, le chevalier criait le nom de Philémon, mais seul l'écho lui répondait à travers les bruits d'eau et les craquements du roc.

— J'aimerais bien savoir pourquoi il se serait enfoncé si loin dans ces souterrains? s'interrogea Grégoire à voix haute.

— Il semblait fasciné par la légende de la fée… répondit le berger. Beaucoup de gens croient en son existence et cela les conduit à commettre des actes de folie.

— J'espère qu'il n'a pas fait une vilaine chute et qu'il n'est pas en train d'agoniser tout seul dans le noir! murmura le chevalier.

Il n'osa pas prononcer ces mots trop forts, car lui aussi se sentait envoûté par les lieux et il craignait d'attirer le mauvais sort par des pensées négatives. Courbés et même parfois à quatre pattes pour franchir certains obstacles, Druon et Grégoire continuèrent d'avancer en prêtant l'oreille, attentifs au moindre bruit qui pourrait les mener au petit page.

𝕸

En ouvrant les yeux, Philémon eut la sensation d'être observé. Il découvrit une cinquantaine de personnes, hommes, femmes et même enfants, réunies autour d'un immense feu, dont la fumée se perdait en épais nuage dans le haut de la grotte. Il remarqua ensuite que les parois étaient tapissées de riches draperies, de soieries, et que sur des rochers étaient entassés des accessoires sacerdotaux et des candélabres en or, des sacs de monnaie précieuse et de pierreries, ainsi que de nombreux bijoux apparemment de grande valeur. Serait-il tombé dans la caverne de quelque lutin? «Plus vraisemblablement de voleurs, et voilà leur butin», songea-t-il.

— Ah, te voilà réveillé, messire! railla un homme hirsute, en lui jetant au visage une haleine pestilentielle.

L'homme était crasseux. Pour manteau, il arborait une pelisse de loup râpée.

— Sois le bienvenu au parloir de la Fée !

— Au par... parloir ? bafouilla Philémon en tentant de s'éclaircir les esprits, malgré son mal de crâne.

— Ha, ha ! C'est ici qu'on fait cracher la vérité à nos honorables invités ! éructa le bonhomme au visage maculé de boue séchée qui ajoutait à son air effrayant. Je me présente, Gueuledeloup, chef de la Grande Compagnie des Dracs*.

Philémon ne réagit pas. Il ne savait pas du tout ce qu'était une Grande Compagnie. Quant aux dragons, même s'il ignorait s'ils existaient ou non, il était certain de ne pas en trouver dans cette caverne qui appartenait à la fée Mélusine. Il renvoya un sourire insolent à son geôlier.

Tout à coup, le roc de la caverne répercuta un horrible hurlement qui sembla l'entourer de toutes parts. Le page sentit ses cheveux et ses poils se hérisser. Il n'avait jamais entendu un tel cri exprimant à la fois la terreur et la douleur. Gueuledeloup s'écarta et l'enfant vit trois hommes qui en traînaient un autre par les cheveux jusque devant les flammes. Le pauvret était nu.

— Regarde bien, jouvenceau* ! Et ouvre grand tes oreilles... Le froqué* va nous chanter une belle chanson ! s'amusa le chef des larrons.

Philémon vit le moine qui pleurait et suppliait. À sa peau boursouflée et sanguinolente, il comprit que ce n'était pas la première fois qu'on le torturait. Le sadisme des brigands n'avait rien à envier à celui des tourmenteurs au service des seigneurs. Philémon comprit qu'entre chaque séance, leur prisonnier était nourri, rafraîchi, et parfois même félicité pour son courage. Tout cela dans un seul but, le faire fléchir. Les procédés des bourreaux étaient partout les mêmes, que ce soit ici dans les Quatre-Montagnes ou dans le royaume de Jérusalem. L'une des canailles glissa des pinces dans le feu pour les chauffer à blanc, puis les approcha du ventre du moine pour lui arracher les chairs.

Le religieux hurla lorsque les pinces touchèrent sa peau qui se mit à grésiller, tandis qu'une odeur de viande rôtie envahissait la salle. Entre ses sanglots et ses cris, Philémon distingua quelques mots :

— Je ne… peux rien… vous dire… Je ne… connais… pas… la régi… !

Puis, le supplicié s'évanouit. Philémon, lui, tremblait de tous ses membres et des larmes silencieuses s'écoulaient de ses yeux sombres, agrandis d'effroi. Un silence lourd et rempli de crainte était tombé sur la caverne, même les enfants des routiers n'osaient émettre un son.

Gueuledeloup éclata d'un rire dément, en dévisageant Philémon.

— Voyons si tu sauras mieux chanter que le froqué !

D'une main brusque, le vil personnage s'empara des liens qui entravaient les poignets du page. Philémon voulut se redresser sur ses pieds, mais trébucha et se retrouva face contre terre. Le gueux le traîna alors sur le sol cahoteux jusqu'au cercle de pierres délimitant le foyer. Les cris que le garçon aurait voulu pousser mouraient dans sa gorge, tellement la peur lui nouait les cordes vocales et les entrailles.

𝔐

Grégoire et Druon venaient de fuir l'antre des chauves-souris, lorsque le hurlement se propagea dans les galeries. Les deux hommes se figèrent, paralysés par toute l'horreur que véhiculait ce cri déchirant. Une fois ce moment de stupeur passé, ils se précipitèrent dans la longue galerie qui leur faisait face, mais elle leur parut sans issue. Toutefois, au moment de rebrousser chemin, Grégoire aperçut la chatière. Philémon aurait-il pu emprunter un pertuis si étroit? Comment le savoir avec certitude? Il tendit sa lanterne devant lui, sondant la noirceur du passage. Dans la lumière blafarde apparurent quelques filaments de tissu, accrochés à un caillou pointu.

Le chevalier les détacha et les fit tourner entre ses doigts. Quelqu'un était bien passé par là, mais était-ce vraiment son cousin? Ces fils pouvaient être là depuis longtemps. Constatant son hésitation, Druon glissa sa tête dans l'ouverture, puis y passa les épaules.

— Allons-y!

Grégoire s'engagea à sa suite, priant de ne pas commettre une erreur en prenant une mauvaise direction, ce qui pourrait coûter la vie à son cousin. Après une reptation difficile, ils parvinrent dans une petite caverne qu'ils inspectèrent avec minutie. Cette fois, ce fut Druon qui fit une découverte. Sa lampe éclaira le rocher où Philémon s'était reposé. En approchant sa propre lanterne, Grégoire fit apparaître les inscriptions concernant Mélusine. Il fut tout aussi étonné que son cousin l'avait été précédemment en lisant le prénom Lucina. N'en croyant pas ses yeux, il regarda une seconde fois pour s'assurer de n'avoir pas mal interprété les caractères gravés dans le roc. Éberlué, il en oublia presque la raison de sa venue dans les grottes. Son compagnon le rappela à l'ordre et lui indiqua le chemin à suivre. Pour Druon, cette inscription n'avait aucun intérêt puisque, comme tous les paysans, il ne savait pas lire.

Des nappes souterraines allaient bientôt compliquer leur passage. Druon plongea son bâton de berger pour en sonder la profondeur. Ils s'y engagèrent même si l'eau était glaciale, en espérant que l'enfant avait lui aussi suivi cette direction.

ℳ

Philémon sentit la chaleur des flammes sur son visage. Il eut un mouvement de recul.

— Pour un béjaune*, tu sembles courageux ! Tu pourrais te joindre à notre Grande Compagnie, ironisa Gueuledeloup en le poussant du pied avec mépris.

Ce disant, il fit un large geste de la main pour désigner ses compagnons, dont certains étaient en train de ranimer le pauvre moine à grands coups de seau d'eau glacée puisée à même une nappe souterraine.

— T'aurait-on coupé la langue ? s'énerva le chef des vauriens, devant le silence de Philémon.

84

— Je… ne sais pas… bredouilla l'enfant. Je ne suis pas d'ici…

— Ha, ha! Encore un qui ne sait rien, mais qui chantera comme un pinson quand le tison viendra chatouiller ses petites coilles*.

— Je viens de Jérusalem! cria le page, en désespoir de cause. C'est la première fois que je mets les pieds dans ces montagnes. Laissez-moi tranquille!

La mention de la Ville sainte déclencha les rires des routiers. Cependant, au contraire de ses compagnons de rapine, Gueuledeloup afficha un air sérieux et intéressé. Il attrapa Philémon par le col et le remit sur ses pieds, sans le quitter de ses intenses yeux noirs.

— Jérusalem? Voilà qui fait un bien long voyage…

Philémon releva le menton et dévisagea le chef des brigands avec un petit air de défi.

— Que viens-tu faire dans nos montagnes? Ne sais-tu pas qu'elles nous appartiennent?

Jouant le tout pour le tout, le page décida de dire la vérité ou, à tout le moins, une partie de celle-ci:

— Je ne suis que de passage… J'ai voulu explorer ces grottes et je me suis perdu. On doit sûrement être à ma recherche maintenant, car je suis parti depuis longtemps de Sassenage.

— Sassenage! hurla Gueuledeloup en giflant Philémon du revers de la main.

Le page tomba à la renverse et s'écrasa sur le dos. Le gueux l'avait atteint avec sa bague à chaton et du sang coula des lèvres fendues du garçon.

— Les Sassenage n'ont aucune autorité sur mes terres ! hurla le routier, en se retournant vers ses hommes pour les prendre à témoin.

Philémon passa sa langue sur ses lèvres ensanglantées. Le chef des routiers fit un geste et un des coquins se précipita sur un écu pour le lui porter. Gueuledeloup brandit le pavois* devant lui et le page put en voir les couleurs : le bouclier était noir et portait trois têtes de loup dorées laissant pendre des lambeaux de chair.

— Tu vois ce blason, damoiseau* ! De sable à trois têtes de loup d'or arrachées de gueules, c'est celui de ma famille… Jamais personne de mon sang ne se soumettra, à qui que ce soit, mets-toi cela dans le crâne, suppôt de Sassenage ! s'emporta Gueuledeloup.

Philémon continua de garder le silence. Il ne connaissait guère les façons de faire et de vivre en Occident, mais il en avait vu et entendu suffisamment depuis sa naissance pour comprendre que partout régnait la loi du plus fort. Les seigneurs étaient pour la plupart indépendants, même s'ils rendaient hommage au roi, et chacun faisait ses propres règles et appliquait sa propre justice.

— Je suis allé en Terre sainte moi aussi, déclara tout à coup le chef des routiers. Quand j'en suis revenu, mes terres, mon château avaient été la proie de pillards. Personne n'a levé le petit doigt pour aider ma femme, ma mère et ma jeune sœur lorsqu'elles ont été tourmentées, violées, mutilées, massacrées… Pas même ces maudits Sassenage ! Que pouvais-je faire ?

Comme tant d'autres petits seigneurs, Gueuledeloup avait fini par vouloir se faire justice en pillant, violant et volant à son tour. Ravager les domaines de ses voisins trop faibles pour les défendre, dépouiller les églises, les abbayes et les couvents, rançonner les religieux, détrousser les voyageurs et les marchands, voilà qui était devenu son mode de vie. À lui s'étaient joints une horde de misérables qui n'avaient d'autres ressources que l'aumône ou la rapine.

Philémon gardait les yeux baissés, prenant garde à ne pas provoquer son ravisseur. Il passa en revue les mots que lui avait appris le mire Noâm ben Eleazar, mais rien ne convenait à sa situation. Est-ce que la main de Myriam qu'il cachait dans sa bourse ferait œuvre de talisman ? Il l'espérait, mais en doutait. Les routiers n'étaient pas hommes à se laisser impressionner par un enfant, surtout démuni comme il l'était. Son seul espoir résidait dans l'inquiétude de Grégoire. Sans nul doute, si ce dernier s'était aperçu de son absence, il s'était élancé sur sa piste. Mais que pourrait faire son cousin, seul contre une bande aussi bien armée et entraînée ? Le désespoir lui étreignit le cœur.

7

Les paladins Ursin de Liry et Médard de Trefféac avaient, depuis leur arrivée deux jours plus tôt, entrepris d'inspecter les grottes de Sassenage. Aujourd'hui, ils s'étaient aventurés dans un long passage, appelé la galerie des Enfers, à la recherche d'indice sur le onzième rejeton de Mélusine, lorsque le cri du moine les avait fait sursauter. Jamais ils n'avaient ouï un tel hurlement de mort. Un bref instant, ils avaient cru qu'il s'agissait d'un animal pris dans quelque piège – ou ils avaient tenté de s'en persuader –, même si bien vite, ils s'étaient rendus à l'évidence : il s'agissait de l'appel déchirant d'un être humain. Le vent froid de la crainte avait fait frissonner leurs épaules, tandis qu'ils se portaient au secours de cet homme, femme ou enfant, ils ne savaient, bref, de cette créature qui luttait contre la Faucheuse*.

Quelques minutes plus tard, parvenus à l'entrée de la salle que les scélérats occupaient, les deux chevaliers de l'Ordre de l'Épée éteignirent les rats-de-cave* qui ne les quittaient jamais et se glissèrent derrière une concrétion qui les dissimula à la vue des routiers.

Sous leurs yeux horrifiés, Philémon reçut une gifle qui le projeta au sol, tandis que le chef des brigands vociférait ses menaces contre les Sassenage. Le feu de l'âtre éclairait suffisamment les lieux pour que les preux évaluent que la situation dans laquelle se trouvait le page était pour le moins fâcheuse.

Cependant, avant de se jeter dans la mêlée pour le libérer, ils convinrent tacitement de prendre le temps d'examiner les options qui s'offraient à eux et d'analyser leurs chances de réussite. Elles étaient minces. Que pouvaient faire deux combattants contre cette bande armée et sans doute aussi bien entraînée ?

— Le garçon est seul. Où est d'Irfoy ? Il est censé le protéger… Que se passe-t-il ? murmura Liry, atterré par la scène.

Du regard, ils firent le tour de la salle, s'arrêtant sur chaque visage, à la recherche de celui de Grégoire. Ils ne le virent nulle part, mais en découvrant le moine nu, ils en déduisirent que le cri inhumain qui les avait alertés avait surgi des entrailles du religieux.

— Il faut quérir de l'aide au village, chuchuta Liry. Va, je vais les surveiller et j'interviendrai en cas de nécessité. Mais je ne tiendrai pas longtemps, seul.

— Je vais tâcher de ramener le chevalier d'Irfoy et quelques hommes. Espérons que la situation du garçon ne deviendra pas plus critique pendant ce temps, souffla Trefféac, en glissant vers l'arrière pour se perdre dans la pénombre.

À quelques pas de là, s'adressant au jeune page, Gueuledeloup fanfaronnait devant ses hommes en brandissant son écu tout en clamant la grandeur passée de sa maison.

— À la tombée du jour, mes hommes et moi partirons en expédition punitive. Les Sassenage n'ont aucune idée du malheur qui les attend! ricana-t-il.

Philémon frissonna. Il se sentait terriblement démuni. Que pouvait faire un enfant contre une bande de pillards sans foi ni loi?

Sur un geste de son chef, une des canailles s'empara de Philémon et le jeta, comme un vulgaire tas de penailles*, dans le coin où le moine, toujours évanoui, gisait tel un pantin désarticulé.

ℳ

Le temps s'écoula, tandis que les brigands somnolaient, en attendant de s'armer pour se jeter sur le village et le château. Brusquement, Philémon dressa l'oreille. Une femme en haillons, pressant un bébé contre son sein, s'entretenait à voix basse avec un des pillards. Le page comprit qu'il s'agissait de son époux. Elle le priait de prendre garde à lui pendant l'expédition contre les Sassenage. Le nom de Mélusine apparut soudain dans ses propos.

— Tu sais que les seigneurs se disent les descendants de Mélusine... marmonna la femme. Si la fée intervient, il ne pourra en résulter que malheurs, pour toi, pour moi et pour lui.

Elle pressa un peu plus son enfant contre elle.

— Ne te mêle pas de cette esquermie*, continua-t-elle. Nous n'avons rien à y gagner, bien au contraire, tout à y perdre !

Pour toute réponse, le brigand grogna. La femme insista :

— On dit que Mélusine est venue se réfugier ici après la trahison de son époux, Raimondin de Lusignan. Elle y a retrouvé l'amour dans les bras de Rémon, le père de son dernier enfant, dont la famille Sassenage prétend descendre.

— Rémon l'a trahie à son tour et l'a abandonnée, grommela l'homme, avant de poursuivre le récit de son épouse : Tous les soirs, assise sur un rocher, elle l'a attendu, espérant son retour. Mais ne le voyant pas venir, elle a pleuré et pleuré encore. Ses larmes sont tombées dans le Furon et se sont transformées en pierres. Tu vois, femme, Mélusine n'interviendra pas. Elle a trop souffert, elle aussi, des agissements de cette famille.

Philémon était abasourdi. Était-ce possible que Raimondin ait trahi sa tendre épouse, celle qu'il aimait plus que sa propre vie ? Était-ce possible que Mélusine se soit enfuie de Lusignan pour venir trouver refuge ici, dans les bras d'un autre ? Il repensa à la gravure dans la pierre, au prénom Lucina qu'il y avait lu. Apparemment, la fée avait eu un autre enfant, ici, dans les grottes de Sassenage. Mais était-ce bien la vérité que disait cette coquine ?

Il chassa un sentiment de malaise en se demandant si Grégoire était au courant de ce récit. Si c'était le cas, pourquoi son cousin ne lui en avait-il pas touché mot, sachant qu'ils arrivaient dans la région, au pied du château où cette incroyable histoire était survenue? N'était-ce qu'une légende sans fondement que les Sassenage colportaient pour susciter un sentiment de crainte? Pour se protéger des rapines? Pour se doter d'ancêtres illustres?

Il songea au parchemin qu'il portait dans sa bourse. Cette nuit-là, à Crest-Arnaud, il était persuadé que Mélusine elle-même l'avait guidé vers ce morceau de vélin dissimulé dans la tour. Elle voulait sûrement aussi qu'il vienne dans ces grottes, qu'il apprenne qu'elle avait eu un autre enfant. Pourquoi? Cette enfant était-elle liée à sa quête? Devrait-il s'allier à son ou ses descendants pour obtenir le second anneau? Pourtant, Géraud lui avait confié que cet anel était son héritage, celui que son père Manassès devait lui remettre. Pourquoi devrait-il le partager? Et si la bague était perdue? C'était peut-être pour cela que Mélusine intervenait, pour l'aider à la retrouver? Les questions se bousculaient dans sa tête et il n'entrevoyait aucune réponse.

À proximité, caché à l'entrée du parloir de la Fée, occupé à surveiller la salle où étaient réunis les routiers, Ursin de Liry ne vit pas deux gueux surgir dans son dos. Sans avertissement, une massue s'abattit sur son crâne avant même qu'il n'en devine le déplacement d'air.

Un soudain remue-ménage interrompit les pensées du page. Les routiers s'armaient. Philémon fronça les sourcils. Le temps avait-il filé si vite? La soirée était-elle déjà venue?

«J'ai perdu la notion de l'heure, mais pas à ce point. Il se passe quelque chose!» se dit-il. Faisant mine de s'être assoupi, il resta sur le qui-vive. Il vit alors qu'on traînait un corps devant le feu. L'homme était-il mort ou seulement assommé? De qui s'agissait-il?

— Ces grottes commencent à être un peu trop fréquentées à mon goût! gronda Gueuledeloup. On déguerpit!

En quelques minutes, tout fut ramassé. Draperies, soieries, bijoux, monnaie et objets divers furent entassés dans de vastes sacs que les truands chargèrent sur leurs épaules. Passant près de Liry, l'infâme personnage dont Philémon avait surpris la conversation quelques minutes plus tôt, brandit un brant* et le planta à deux reprises dans la poitrine du paladin. Puis, il se dirigea vers Philémon qui, abandonnant toute feinte de somnolence, se recroquevilla sur lui-même, les bras croisés au-dessus de sa tête dans un dérisoire geste de protection.

— Pas l'enfant! cria une voix que le page reconnut pour être celle de l'épouse.

Philémon ferma les yeux, attendant le coup. C'était trop bête! Ainsi, sa vie allait s'achever ici, dans le repaire de Mélusine. Était-ce pour cela que la fée l'avait guidé jusqu'ici? Pour y mourir? Il se sentait comme un agneau offert en sacrifice. Le routier leva son arme et la laissa retomber à quelques pas du page, sur le crâne du moine qu'il fendit en deux comme une vulgaire noix. Ensuite, calmement, il essuya, sur la manche de son bliaut crasseux, sa lame dégoulinante de sang et de cervelle sur laquelle s'agglutinaient quelques cheveux sombres. Enfin, il fit demi-tour et sans un mot, quitta la grotte à la suite de toute la bande. Philémon avait tourné de l'œil.

𝕸

En revenant à lui, le page se demanda s'il était mort. Même dans ses pires cauchemars, il n'aurait pu imaginer ce que son regard découvrit alors. Le moine se vidait de son sang et lui-même reposait dans une mare rouge et poisseuse. Il bondit sur ses pieds. Ce fut à ce moment qu'il perçut les râles du blessé gisant près du feu qui rougeoyait faiblement. Malgré un léger vertige, Philémon se dirigea vers lui pour lui porter secours. En s'approchant, il reconnut l'un des deux mercenaires qui avaient embarqué à Rhodes sur le *Massalia*. Stupéfait, le garçon hésita quelques secondes, songeant même à s'enfuir à toutes jambes, mais une nouvelle plainte du blessé lui fit prendre conscience qu'il ne pouvait abandonner un homme dans cet état, même s'il s'agissait d'un ennemi. Car Philémon en était maintenant convaincu, les paladins étaient à ses trousses. Et qui aurait pu les lancer sur ses traces, sinon ses ennemis de Jérusalem?

«Raimond de Tripoli a le bras long et ses hommes de main lui obéissent au doigt et à l'œil. Vont-ils finir par m'oublier? Que dois-je faire pour leur échapper? Grégoire ne pourra plus dire que je rêve quand il verra ce mercenaire…»

Le page se pencha sur le moribond, écarta les pans de sa tunique pour examiner les blessures et grimaça. Ce n'était pas beau à voir. Il retourna près du corps du moine pour ramasser sa lanterne où ne subsistait qu'un bout de cire. Il tira un tison du feu pour l'allumer, puis se hâta vers une galerie où il entendait bruire de l'eau dont il emplit sa gourde. Philémon revint dans la salle, en déchirant sa chemise de lin en lambeaux pour en faire des compresses glacées. Il nettoya les plaies du mieux possible. Il ne pouvait faire plus pour le moment.

— Je vais quérir du secours! souffla-t-il à l'oreille du paladin. Je suis obligé de vous laisser dans le noir, mais n'ayez crainte, je reviens avec de l'aide!

Il se dépêcha de quitter le parloir de la Fée et courut dans les sombres souterrains, en priant de retrouver facilement le chemin de la sortie, et surtout pour que son bout de chandelle tienne jusque-là. Il fonçait dans des concrétions, s'entaillant bras et jambes, se cognant au plafond bas, sans jamais ralentir le rythme de sa course. Brusquement, à un coude d'un passage, il heurta de plein fouet son cousin qui se précipitait dans sa direction. Sur le coup, ni l'un ni l'autre ne se reconnurent et ils poussèrent tous deux un cri de terreur.

— Philémon! s'exclama Druon qui suivait le chevalier à quelque distance, ce qui lui avait permis de voir
le page.

Grégoire recouvra son sang-froid et saisit son
cousin à bras-le-corps.

— C'est moi, Philémon. C'est moi! Calme-toi! Que
se passe-t-il?

Reconnaissant enfin ses compagnons, l'enfant avala
sa salive et s'empressa de relater les récents événements, et les mit en garde contre une prochaine attaque du village. Lorsqu'il mentionna qu'un des deux
paladins se vidait de son sang dans la grotte abandonnée par les routiers, Grégoire se sentit pâlir.

«Où est donc passé l'autre?» se demanda-t-il, sans
partager ses interrogations avec ses compagnons. Puis,
il songea qu'il y avait sûrement plusieurs chemins
possibles vers la sortie. Pour sa part, il jugea que c'était
une chance de se trouver sur celui emprunté par
Philémon. Le second mercenaire avait sans doute pris
une autre galerie.

— Conduis-moi près de lui! le pressa Grégoire. Et
toi, Druon, retourne chercher de l'aide au village. Y
a-t-il un mire ou quelqu'un qui s'y connaisse un peu
en médecine?

— Le maréchal est un bon rebouteux… répondit le
pâtre. Et ma mère sait soigner les plaies et les bosses.
Elle connaît aussi certaines herbes…

— Amène-les tous les deux ici! Dis à ta mère de
prendre tous les simples* qu'elle jugera utiles. Vite,

hâte-toi! Et préviens le village de se préparer à une attaque.

— Très bien! Mais où vous retrouver? Je ne sais pas où est le blessé, lâcha Druon, avec une pointe de découragement dans la voix.

Grégoire se tourna vers Philémon, quêtant une réponse.

— Tous ces souterrains se ressemblent tellement, soupira le page. Je n'ai pas pensé à marquer mon chemin. Je peux y retourner, mais comment t'expliquer la direction à suivre...

Pendant quelques secondes, les trois compagnons se regardèrent, la mine basse. Mais tout à coup, Philémon s'exclama:

— Leur chef Gueuledeloup a mentionné le parloir de la Fée...

— Le parloir de la Fée! Je sais où se trouve cette grotte. Quand j'étais enfant, j'y venais avec d'autres garnements du village. Je vous y rejoins! leur jeta Druon, en tournant les talons.

Mais il revint aussitôt sur ses pas, et sortit d'une pochette cousue à son bliaut une cire de bonne taille qu'il tendit à Grégoire.

— Vous en aurez besoin plus que moi!

☙

Grégoire et Philémon se glissèrent avec circonspection dans le parloir de la Fée. Il valait mieux être prudent, au cas où certains routiers seraient revenus sur les lieux de leurs crimes. Liry gisait à l'endroit où le page l'avait laissé. Il délirait.

— *Ordo Spada… A la fae!* bredouilla-t-il, l'écume à la bouche.

Craignant qu'il n'en dise trop, Grégoire se hâta de porter son outre de peau aux lèvres du mercenaire pour le faire boire.

— Il faudrait d'autres compresses froides, dit-il, tout en retirant celles, maintenant imbibées de sang, que son cousin avait déjà appliquées sur les plaies de Liry.

Philémon ramassa les lambeaux de sa chemise qui n'avaient pas encore été utilisés et se précipita vers l'endroit où l'eau glaciale se frayait un passage dans le roc.

Pendant ce temps, Grégoire rassura le blessé et surtout, il essaya de le sortir de sa torpeur pour qu'il cesse de parler de l'Ordre de l'Épée et de Mélusine.

— À première vue, les coups de son agresseur ont dévié, déclara Grégoire lorsque Philémon revint avec les tampons de lin humides. Il devrait s'en sortir…

— Dévié ? s'étonna le page.

Grégoire désigna un étui qu'il avait déposé près du blessé.

— Sur sa gaine de cuir où il dissimulait un coustel…

— Je n'ai rien remarqué quand j'ai ouvert sa chemise…

— Tu étais bouleversé, c'est normal !

Le blessé bafouilla encore de longues minutes, mais ses mots demeurèrent incompréhensibles.

— Je te l'avais bien dit! déclara Philémon. Nous sommes suivis. Tu ne peux plus me dire le contraire. Cet homme est l'un des deux paladins qui ont embarqué sur le *Massalia*. Que viennent-ils faire ici, à Sassenage? Ça ne me dit rien qui vaille. On devrait l'abandonner et filer avant que son compagnon n'arrive et nous tienne responsables de son état.

— Hum! Toi, abandonner un blessé? Eh bien!… Allez, ne t'en fais pas, tenta de le rassurer Grégoire. Dans l'état où il se trouve, il n'est pas bien dangereux. Et puis… on pourrait l'interroger lorsqu'il sera apte à nous en dire plus…

En lui-même, Grégoire espéra que les chevaliers avaient mis au point une histoire crédible pour calmer les doutes de Philémon si jamais une situation telle que celle-ci se produisait.

Le garçon haussa les épaules, mais n'en continua pas moins à dévisager l'homme avec suspicion.

$$\text{M}$$

Près d'une heure passa avant que Druon, Albérade et le maréchal ne fassent enfin irruption dans le parloir de la Fée. Dès cet instant, la mère du pâtre prit les choses en main. Elle ranima le feu, alla puiser de l'eau à la source coulant non loin de là, et la fit bouillir dans une gamelle qu'elle avait apportée, y jetant une poignée de plantes et faisant boire le tout au blessé qui sombra dès lors dans un profond sommeil. Après avoir examiné les plaies, elle y appliqua un cataplasme d'autres simples macérés dans du vinaigre chaud. Puis, elle ceignit la poitrine du paladin de bandes de tissu qu'elle avait aussi pris soin d'apporter. Finalement, par quelques gestes, elle indiqua au maréchal de soulever délicatement le blessé et de l'emmener hors des Cuves.

Liry fut installé dans la maison des bergers où la muette fit comprendre à tous qu'elle allait s'occuper de lui. Par des signes de la main, elle chassa tout le monde de son logis pour que le blessé ne soit pas incommodé par leurs bavardages.

— Pourquoi les villageois ne sont-ils pas encore partis ?… était en train de s'énerver Philémon, en rappelant à ses compagnons l'éventuelle attaque de Gueuledeloup dont il les avait avertis dans la grotte.

En sortant de la masure, ils perçurent des cris près de l'église. Ils se hâtèrent vers la place du village pour en connaître plus sur l'origine de ce brouhaha, mais firent bien vite demi-tour. Une horde d'une trentaine de routiers fondaient sur le hameau, tuant sans sommation quiconque se trouvait sur leur chemin. Déjà une demi-douzaine de corps jonchait le sol.

— Je l'avais dit pourtant ! se lamenta le page, en fuyant.

Affolé, le trio fit irruption dans la chaumière d'Albérade.

— Il faut se réfugier au château ! hurla Druon, tandis qu'avec l'aide de Grégoire, il soulevait Liry, sans s'occuper des gémissements de douleur du paladin.

Philémon saisit Albérade par le bras et la tira à l'extérieur.

— Vite ! hurla le pâtre, en contournant déjà sa maison pour s'enfoncer dans le bois qui s'ouvrait sur l'arrière.

— Mais… les villageois ?… balbutia le page.

Albérade le força alors à avancer plus vite en le poussant fermement entre les omoplates.

— Ils savent ce qu'il faut faire ! cria Druon sans ralentir sa course, malgré le poids du blessé qu'il tenait par les aisselles, alors que Grégoire s'était emparé de ses jambes.

Une odeur de paille brûlée envahit bientôt les narines des fuyards. Philémon vit de la fumée noire s'élever par-dessus les arbres.

— Ils brûlent le village…

— Par ici, indiqua Druon, en s'enfonçant dans un sentier enneigé qui disparaissait sous les branches dénudées.

Bénéficiant de la protection de la forêt pour se soustraire aux yeux des routiers, ils franchirent sains et saufs les portes du château que quelques gardes tenaient entrouvertes pour permettre aux réfugiés de se retrancher à l'abri des épaisses murailles. Parmi eux, les deux cousins reconnurent le maréchal, le curé et quelques personnes aperçues depuis leur arrivée. Un sexagénaire élégamment vêtu, dont la prestance leur indiqua qu'il s'agissait de Guigues de Sassenage, le seigneur des lieux, s'avança vers eux. À ses côtés se tenait un homme d'une trentaine d'années portant une tunique et une cuculle* de laine blanche. C'était un moine de l'ordre des chartreux, que le seigneur présenta comme son fils cadet Jean. Puis arriva une femme âgée, de belle allure, dame Ainarde son épouse.

Grégoire se chargea de décliner leur identité et de demander asile. Le paladin blessé fut aussitôt pris en charge par le chartreux. D'Irfoy inspecta les alentours pendant qu'on amenait Ursin de Liry à l'intérieur. Il cherchait Médard de Trefféac, mais ne le vit point.

— Entre dans le château, ordonna-t-il à Philémon, et restes-y quoi qu'il arrive.

— Et toi ? se rebiffa le page.

— Je dois mettre mon bras au service du seigneur pour la défense de Sassenage. Je suis un chevalier, je ne peux me dérober à mon devoir.

Grégoire fit signe à un combattant qui était en train d'armer tous les hommes, soldats et paysans. Celui-ci lui tendit aussitôt une épée, un casque et un bouclier, car tout son équipement et celui de Philémon étaient restés dans la maison d'Albérade.

— Je vais me battre avec toi ! insista Philémon.

— Avec quoi ? ricana Grégoire, en faisant signe au soldat de ne pas tendre de lame à son cousin. Oublies-tu que ton arme est restée au village, et est probablement, à l'heure actuelle, entre les mains des routiers, à moins qu'elle n'ait brûlé avec notre équipement et nos chevaux ?

En entendant ces mots, Philémon ne put retenir ses larmes. La dureté des propos de son cousin lui fit prendre conscience qu'il avait abandonné Étoile filante derrière lui. Il se sentit misérable. N'avait-il pas promis à la princesse Sibylle de lui ramener son alezan ? Il ne pourrait respecter sa parole. Comment allait-il pouvoir reparaître devant elle pour lui annoncer une si horrible nouvelle que la mort de son cheval ? Et l'épée que lui avait confiée Géraud ? Elle aussi, il l'avait oubliée. Il éclata en sanglots et courut cacher sa peine et sa détresse dans le castel.

8

En compagnie d'une demi-douzaine d'hommes d'armes, Grégoire se posta à la double porte de l'enceinte maintenant refermée. De l'autre côté, les routiers, ivres de sang et de fureur, tentaient de l'enfoncer à l'aide d'un tronc d'arbre faisant office de bélier. Au-dessus d'eux, sur les remparts, quelques archers leur décochèrent des flèches, tandis que d'autres soldats leur jetèrent des pierres à l'aide d'un mangonneau* à partir d'une échauguette* ; des deux côtés montaient des cris de haine, des cris de guerre.

Mais Sassenage n'était pas une redoutable place forte. Tout au plus y avait-il une soixantaine d'hommes pour la défendre, en comptant les villageois venus se mettre à l'abri et qui n'avaient que peu d'expérience du combat, même si ce n'était pas la première fois qu'ils affrontaient des pillards.

Grégoire tourna brusquement la tête en sentant un regard fixé sur sa nuque. Médard de Trefféac se tenait derrière lui, brandissant son arme. Grégoire comprit ce que son compagnon de l'Ordre de l'Épée attendait et vint prendre place à ses côtés. Le paladin s'adressa aux gardes.

— Il faut faire une sortie et se battre d'homme à homme…

— C'est notre seule chance de nous débarrasser de Gueuledeloup et de ses compères, ajouta Grégoire.

D'abord réticents, les défenseurs échangèrent quelques mots entre eux, pesant le pour et le contre, avant d'acquiescer aux demandes des deux chevaliers qui leur parurent expérimentés. Ils firent signe à un groupe de paysans et leur confièrent la tâche d'ouvrir les portes à leur ordre, pendant que tous les gardes se rangeaient derrière les deux chevaliers, prêts à jaillir en force de la basse-cour du château.

— Ouvrez ! cria le capitaine de la garde.

La lourde barre de bois qui sécurisait la porte fut retirée et les deux battants s'écartèrent en même temps. Grégoire et Trefféac se lancèrent aussitôt à l'attaque en vociférant, suivis de près par la garnison. Au milieu des hurlements de douleur et du bruit des armes, les épées tombèrent lourdement sur quelques crânes qu'elles fracassèrent et sur des membres qui furent tranchés net. Ne s'attendant pas à une riposte aussi organisée, les routiers battirent promptement en retraite et se regroupèrent autour de Gueuledeloup. Ce dernier n'était pas assez fou ou téméraire pour affronter des chevaliers et une troupe bien armés et entraînés. Il rappela ses hommes et le groupe s'égailla dans la campagne enneigée et les bois.

— On se reverra ! cria-t-il, son poing vengeur dirigé vers le château.

Grégoire, Trefféac et un petit groupe d'hommes d'armes leur donnèrent la chasse, mais, étant à pied, ils furent vite distancés par les routiers à cheval. Par ailleurs, il valait mieux ne pas laisser le castel sans protection, car un piège était toujours possible.

— Ne nous éloignons pas ! Ce Gueuledeloup me paraît assez rusé pour entraîner les défenseurs loin du château et lancer d'autres pillards à l'assaut ! déclara Trefféac, en revenant sur ses pas.

Le paladin ordonna à la petite armée de retourner à l'abri des remparts, Grégoire et lui fermant la marche.

— Comment se porte Liry ? demanda le mercenaire en glissant son épée dans le baudrier qui barrait sa ceinture.

— Il est en piteux état, mais je crois qu'il devrait s'en tirer. Les coups de lame n'ont touché aucun organe vital. Malgré tout, il a eu beaucoup de chance, répondit Grégoire.

— Je vous ai vus arriver au château avec lui. J'étais caché près du puits, dans la basse-cour. Je ne me suis pas montré, car il vaut mieux que Philémon continue à ne pas savoir le rôle que nous jouons.

— Que s'est-il passé dans les Cuves ? Qui sont ces vermines ? l'interrogea Grégoire.

Trefféac lui raconta les scènes auxquelles Liry et lui avaient assisté et pourquoi il avait laissé son compagnon seul pour veiller sur Philémon. Ses propos confirmèrent une partie des renseignements que le garçon avait donnés à son cousin au sortir des Cuves. Grégoire dévoila les agissements des routiers tels que le page les lui avait relatés.

— Nous avions pourtant prévenu le village d'une attaque possible ! soupira Grégoire.

— C'est toujours la même chose, les paysans pensent avoir le temps de mettre leurs biens à l'abri avant de songer à sauver leur propre vie, répondit Trefféac.

En discutant, les deux chevaliers réintégrèrent la cour du château sous les vivats des survivants. Mais l'allégresse fut de courte durée. Bientôt les plaintes, les cris et les larmes se répandirent dans la basse-cour. Après la peur, la triste évidence frappait les esprits. Au loin, des fumées noires envahissaient le ciel, et cela n'était pas un bon présage. Tous savaient que le hameau n'existait plus. Les maisons, pour la plupart en bois et chaume, n'avaient pu résister à l'incendie déclenché par les pillards. Le vieux comte Guigues de Sassenage et dame Ainarde tentèrent de réconforter les vilains et les serfs qui avaient perdu leurs biens, mais surtout des membres de leur famille. Druon et sa mère étaient convaincus d'avoir perdu leur maison, ils en furent chagrinés, mais ils étaient également résignés. Après tout, la vie des paysans était souvent pavée de coups du sort et d'éternels recommencements.

— Je t'en bâtirai une autre, mère ! déclara le berger, tandis qu'Albérade s'affairait auprès des blessés.

Une vingtaine d'habitants manquaient à l'appel : des vieillards, des femmes, des jeunes enfants et des bébés qui n'avaient pas réussi à fuir devant les pillards. Personne n'osait imaginer à voix haute ce qu'on leur avait fait subir, mais l'odeur de chair brûlée que le vent portait jusqu'à eux ne trompait personne.

Une heure plus tard, après avoir repris péniblement leurs esprits, Druon et quelques hommes se portèrent volontaires pour retourner au hameau. Le comte leur donna une escorte d'une douzaine de soldats, Grégoire et Trefféac se joignirent à eux.

Sur le sentier menant au village, ils virent deux femmes dénudées et ensanglantées. Leur sang dessinait des fleurs rouges sur la neige blanche. Druon serra les poings en reconnaissant des paysannes qu'il côtoyait depuis toujours. Elles avaient été violées et tuées sur place. Plus loin, ils trouvèrent le corps du mari de la plus âgée ; la plus jeune, qui n'avait qu'une douzaine d'années, était leur fille.

Lorsqu'ils entrèrent dans le village, ils furent un instant saisis par le calme glacial qui y régnait. Des moutons, un âne, deux vaches gisaient, éventrés. Même les chiens, hébétés, n'osaient proférer le moindre son ; ils erraient parmi les cadavres jonchant la place devant l'église noircie par l'incendie. L'un d'eux s'arrêta près du corps d'un vieil homme et se coucha en geignant. Il venait de retrouver son maître, mort.

— Ils ont emporté tout ce qu'ils ont pu et ont brûlé le reste ! se lamenta Druon dont les yeux ne cessaient de papillonner d'un endroit à l'autre, comme s'il ne pouvait croire ce qu'il voyait.

Le pâtre se tourna vers l'endroit où aurait dû s'élever sa masure, mais elle aussi était réduite en cendres, comme les autres habitations de bois. Les deux seules maisons de pierre n'avaient pas non plus été épargnées par les flammes, même si leurs murs demeuraient debout. En grinçant des dents, il maudit la Grande Compagnie des Dracs.

Mais comme il ne servait à rien de gémir sur son sort, Grégoire et lui s'approchèrent des ruines fumantes de la maisonnette, pour tenter d'en sauver ce qui pouvait encore l'être : un chaudron, quelques écuelles, des outils.

Tout à coup, le chevalier discerna un éclat métallique parmi les débris calcinés. Il s'agissait des serrures cuivrées et noircies du coffre qui contenait autrefois les biens les plus précieux d'Albérade et de son fils : des vêtements de lin que la muette avait tissés avec patience et dévouement. Bien sûr, il n'en restait rien. Mais le jeune homme se figea en apercevant l'épée de Philémon posée sur le charbon de bois. Elle n'était ni ébréchée ni oxydée et semblait en parfait état, comme si elle venait juste de quitter son étui et d'être déposée sur les décombres. Il avança la main et s'en saisit ; elle était légèrement chaude, mais non brûlante comme il l'avait craint. Elle n'était même pas tachée de suie. Cette découverte le laissa sans voix.

Sentant une présence derrière lui, le chevalier pivota. Philémon se tenait à quelques pas, les yeux rougis. Il avait suivi la troupe sans se faire remarquer. Grégoire lui tendit son arme et le page la prit, en silence. Puis, il tourna les yeux vers la grange dont il ne restait rien qu'un amas de paille brûlée. Son cousin lui posa la main sur le bras dans un geste d'empathie. Ils restèrent là de longues minutes, incapables de dire un mot ou d'échanger un seul regard.

Finalement, le chevalier saisit le page par les épaules et l'entraîna vers le sentier menant au castel où les seigneurs leur avaient offert l'hospitalité le temps qu'ils recouvrent leurs forces. Druon examina les cendres de sa masure, il n'avait rien à en sauver. Fataliste, il s'éloigna à son tour.

Chemin faisant, ils croisèrent des villageois. Certains vilains quittaient le hameau pour se rendre dans un bourg voisin où ils avaient de la famille ou des connaissances, car le reste de l'hiver serait rude. En tant que paysans libres, ils possédaient leurs terres ou, dans d'autres cas, Guigues de Sassenage, qui les avait toujours bien traités, leur en louait. Ils ne voulaient donc pas trop s'en éloigner, même si leurs récoltes de l'automne précédent avaient brûlé. D'autres préféraient se placer sous la protection de la famille Sassenage et rester au château jusqu'au printemps, le temps que le hameau se relève. Quant aux deux familles de serfs, elles n'avaient guère le choix de chercher un abri au castel, ne pouvant prétendre à la liberté.

Grégoire et Philémon virent le maréchal, le tailleur de pierre, le tanneur et le meunier qui, déjà, s'étaient mis à déblayer les ruines en parlant de reconstruction.

— Nous ferions un bon geste en donnant un coup de main à Druon et à Albérade pour rebâtir leur habitation, suggéra Grégoire.

— Je veux partir d'ici au plus vite, répliqua Philémon d'une voix sèche. Je ne peux pas rester à l'endroit où Étoile filante est morte d'une manière aussi horrible.

Le page accéléra le pas pour devancer son cousin et ne pas montrer ses larmes qui coulaient de nouveau. La neige se mit à tomber doucement.

ℳ

Le lendemain, quelques têtes de bétail qui avaient échappé à la rapine revinrent dans le village détruit. Le maréchal et ses compagnons étaient au travail depuis les premières heures de l'aube. Le bûcheron avait abattu deux gros arbres dont le bois servirait à remonter la charpente de l'église qui avait beaucoup souffert de l'incendie. Un hennissement attira l'attention des ouvriers.

— Un cheval roux ! s'écria le tanneur, en faisant le signe de la croix.

Dans les croyances populaires locales, le cheval roux était le symbole du massacre et de la guerre. L'apparition de l'animal sur les lieux de la tragédie jeta la consternation parmi le petit groupe de bâtisseurs.

— J'ai déjà vu cette bête ! s'exclama le maréchal. Mais oui… bien sûr ! L'enfant et le chevalier qui ont été accueillis par Albérade la muette et son fils. Elle leur appartient.

— Ce sont eux qui ont apporté la mort dans notre village, gronda le meunier. Ils sont maudits. C'est la bête du diable.

En faisant de grands gestes des bras, il tenta de chasser Étoile filante. L'alezan renâcla et s'écarta, mais revint aussitôt rôder autour des ruines de la grange. Le bûcheron leva sa hache, menaçant.

— Je m'en occupe! Je vais nous débarrasser de cette maudite engeance qui n'a fait qu'attirer le malheur ici.

Il s'approcha à larges pas, mais ayant probablement perçu la colère de l'homme, la jument fit un écart, avant de détaler sur le sentier menant au castel. En jurant, le bûcheron furieux de voir sa proie lui échapper abattit sa hache sur une souche qu'il fendit d'un seul coup.

Quelque temps plus tard, au château, un homme de trait posté dans l'échauguette vit apparaître le cheval au détour du sentier qui grimpait la colline. Il arma son arc, prêt à abattre la bête et son cavalier, mais bien vite, il se rendit compte qu'il n'y avait personne sur le dos de la jument dont la crinière blonde flottait au vent. Suspicieux, il garda son arme bandée quelques minutes, scrutant les alentours, s'attendant à tout moment à voir surgir les routiers. Il donna l'alerte.

Au premier cri, les autres archers se hâtèrent de prendre place aux créneaux. Derrière les portes fermées, les hommes d'armes et les paysans se mirent rapidement en position de défense, brandissant qui son épée qui sa fourche ou sa faux. Ce brouhaha soudain attira l'attention de Grégoire, qui était justement en train de choisir deux montures dans l'écurie, comme le lui avait obligeamment offert le comte de Sassenage. Le chevalier grimpa à toute vitesse sur le chemin de ronde pour voir quel était l'objet de l'énervement des soldats. Au premier coup d'œil, il reconnut Étoile filante qui galopait dans la campagne et son cœur bondit dans sa poitrine.

— Ouvrez les portes, ouvrez ! hurla-t-il en direction des sentinelles qui veillaient sur l'entrée du château.

L'ordre du chevalier était si impératif que les gardes obtempérèrent, sans chercher à en savoir plus. Étoile filante entra dans la basse-cour, sans ralentir sa course avant d'être parvenue près du puits, où elle s'immobilisa finalement et s'ébroua. Grégoire rejoignit l'alezan et le tranquillisa en lui caressant l'encolure tout en lui parlant doucement. Une fois qu'il fut assuré qu'Étoile filante n'était pas blessée et qu'elle ne serait pas prise de panique à cause de l'environnement inconnu de la cour et des nombreuses personnes qui allaient et venaient, il se précipita dans le château pour prévenir Philémon du miracle. Plusieurs paysans et gardes firent la grimace à la vue du cheval roux, mais voyant l'accueil que lui avait réservé le chevalier, ils n'osèrent manifester leur désapprobation, et firent le signe de la croix en cachette, comme si cela pouvait les protéger d'autres malheurs.

Pendant ce temps, Médard de Trefféac s'était enquis de la santé de son compagnon de route, le paladin Ursin de Liry. Aux dires de Jean le chartreux, il y avait eu plus de peur que de mal. Bien sûr, les blessures étaient sérieuses et le mercenaire devrait rester alité plusieurs jours, voire une à deux semaines avant de faire ses premiers pas. Quant à remonter à cheval, il ne fallait pas y penser de sitôt. Entre deux et trois semaines de convalescence supplémentaires seraient nécessaires.

Grégoire avait prévenu les deux membres de l'Ordre de l'Épée de la volonté de Philémon de quitter la région au plus vite.

— J'ai découvert le nom du onzième rejeton de Mélusine dans la grotte, les avisa le chevalier. Avec les récents événements que nous venons de vivre, je n'ai pu vous en toucher mot plus tôt.

Il regarda tour à tour ses complices, avant de laisser tomber avec un sourire :

— Il s'agit d'une fille ! Une fille appelée Lucina !

Les deux mercenaires, ébahis, ne surent que dire devant cette surprenante nouvelle, laissant le temps au chevalier d'Irfoy d'enchaîner :

— Si la légende dit vrai, Guigues de Sassenage et ses fils en sont les descendants directs. L'aîné, Guigues, comme son père, est parti guerroyer en Terre sainte, m'a appris le seigneur de Sassenage ; quant à Jean, le second, il s'agit du chartreux qui veille sur vous, mon ami.

— Hum! Ce Guigues parti pour Jérusalem… est-ce dans l'intention de revendiquer la couronne du royaume latin et de la disputer aux Lusignan en faisant valoir son ascendance féerique? s'inquiéta Trefféac, revenu de sa surprise.

— Nous avons failli à la tâche! se lamenta Liry, que la fièvre tourmentait.

Ces quelques mots lui arrachèrent des plaintes de douleur et le laissèrent trempé de sueur.

— N'ayez crainte! Je me suis renseigné, vous pensez bien! les interrompit Grégoire. Guigues le fils ne s'est pas croisé pour son bénéfice personnel, ni pour prétendre au trône. C'est beaucoup plus simple que cela. Sa femme est morte en couches, il y a environ vingt-quatre mois. L'enfant a survécu. La damoiselle est ici, dans ce château. Elle a deux ans, s'appelle Méloé et est aveugle. Le pape a promis des rétributions spirituelles aux chevaliers qui vont se battre en Terre sainte. Guigues est donc allé implorer la guérison de sa fille; il espère un miracle divin.

Pendant quelques minutes, le silence régna dans la chambre où le chevalier de Liry reposait.

— Et l'anneau? demanda Trefféac.

— Les Sassenage ne semblent au courant de rien concernant ce précieux talisman, le rassura Grégoire. Je les ai entretenus discrètement à ce sujet pendant que Philémon veillait sur Étoile filante. De plus, la petite Méloé sera bientôt confiée à quelque couvent. L'enfant ne peut prétendre à aucune union et n'engendrera pas de descendance. Nul chevalier ni bon parti n'oserait courir le risque de concevoir des rejetons souffreteux. La lignée de Mélusine de Sassenage s'éteindra avec elle.

— Ne devrions-nous pas plutôt nous en assurer tout à fait ? reprit le paladin, en caressant lentement sa lame du bout des doigts.

— Je répugne à tuer des innocents, se rebella Grégoire. Les ordres sont formels. L'Ordre de l'Épée a pour mission de s'assurer que personne ne pourra prétendre à la couronne de Jérusalem autre que ceux choisis par le grand maître. On ne nous a jamais commandé le meurtre pour parvenir à nos fins.

— Notre mission se termine donc ici, s'étonna Médard de Trefféac. Nous devions trouver une preuve de l'existence du onzième rejeton de Mélusine, ce que vous avez fait, mon ami.

Il posa fermement sa main sur l'épaule de Grégoire.

— Le champ est libre aux Lusignan… marmonna Liry.

— Hmm ! À moins que Philémon ne vienne brouiller les cartes. Mais je me charge de lui, reprit Grégoire. Si son père possède le second anneau, comme le grand maître de l'Ordre de l'Épée le pense, mon cousin en héritera. Il sera trop heureux de rentrer à Jérusalem lorsque je le lui suggérerai. Ces anneaux ne doivent pas orner n'importe quel doigt. Le grand maître est formel : il faut que les deux anels soient à Jérusalem. Il choisira lui-même qui méritera de les porter.

Ursin de Liry ferma les yeux et un soupir de soulagement souleva sa poitrine bandée. Désormais, il n'aurait qu'à se concentrer sur sa guérison.

— Êtes-vous sûr que l'inscription que vous avez trouvée est véridique ? demanda-t-il tout à coup, en soulevant ses paupières derrière lesquelles luisait un regard anxieux.

— Hum ! Effectivement, n'importe qui aurait pu l'y tracer ! reprit Trefféac, avec une grimace.

— Je viens juste de parler au vieux comte et à dame Ainarde ; ils m'ont tous deux confirmé qu'ils étaient bien liés à Mélusine, poursuivit d'Irfoy. Et même doublement, car Thierry, le neuvième fils de la fée a épousé Héloïse de Sassenage, une des ancêtres de la famille, sans en avoir de descendance, cependant. Je suis convaincu que cette inscription dit vrai. Quant à la petite Méloé, nous ne pouvons rien pour elle. La piété et la vaillance de son père en Terre sainte réussiront peut-être à lui accorder la bienveillance divine. Son oncle Jean le chartreux m'a assuré qu'il veillera à sa tranquillité en la confiant à un ordre religieux.

Les membres de l'Ordre de l'Épée gardèrent de nouveau le silence, chacun étant plongé dans ses pensées. Pour Liry et Trefféac, leur quête se terminait à Sassenage, mais d'une fort étrange façon, et ils ne parvenaient pas encore à s'en convaincre tout à fait. Il leur fallait désormais rentrer à Jérusalem pour faire part de la nouvelle au grand maître de leur ordre. Trefféac avait l'impression que leur aventure se terminait abruptement. Devait-il enlever la petite Méloé pour s'assurer qu'elle n'aurait jamais de descendance ? Devait-il l'emmener à Jérusalem pour que le grand maître veille sur elle ? Il ne savait que faire. Il opta pour l'attente. Quand Liry serait rétabli, ils décideraient ensemble de leurs actes futurs.

— De mon côté, ma seconde mission se poursuit, enchaîna le chevalier d'Irfoy sans se rendre compte du dilemme avec lequel se débattait son complice. Je dois conduire Philémon chez son père comme je l'ai promis à maître Géraud et à ma mère. Et j'espère y obtenir le second anneau. Ensuite seulement, je pourrai rentrer à Jérusalem. Je vous envie, mes amis. Bientôt vous foulerez de nouveau le sable du désert.

9

Tandis que les membres de l'Ordre de l'Épée se disaient adieu, Philémon présentait ses hommages à dame Ainarde.

— Est-ce bien raisonnable de vouloir de nouveau braver les intempéries en cette fin d'hiver ? lui demanda-t-elle, inquiète pour les deux jeunes voyageurs. Et ces routiers qui nous ont attaqués, ils doivent rôder dans les Quatre-Montagnes. Je crains pour vos vies…

— Merci de votre sollicitude, dame Ainarde, mais que ce soit maintenant ou plus tard au printemps, les risques de rencontrer de nouveau Gueuledeloup et sa bande restent les mêmes, répondit Philémon, un tantinet philosophe. Les pillards ne vont pas disparaître avec la fonte des neiges.

La vieille dame le relança :

— Je comprends que vous vouliez bien vite retrouver votre famille…

Le page lui sourit en retour. Il lui avait servi la même histoire qu'à tous ceux qui avaient croisé son chemin à ce jour : il était en route pour les terres familiales et pour renouer avec son père. Point d'anneau, point de quête dans ses maigres confidences.

La jeune Méloé choisit cet instant pour entrer dans la salle, en compagnie de sa nourrice qui lui servait en tout temps de guide ; celle-ci la conduisit tout près du page. L'enfant tendit la main en direction du garçon. Dans sa paume, il vit une petite pierre plate bleutée et concave.

— C'est pour vous, messire Philémon ! lui dit-elle. C'est une "larme de Mélusine"…

En entendant le nom, le page ouvrit de grands yeux effarés. Comment la fillette avait-elle deviné son intérêt pour la fée, alors qu'il n'en avait touché mot à quiconque dans le château ? Mais tout à coup, il sut. Méloé n'était-elle pas de la lignée de Mélusine, tout comme lui ? Sa cécité l'avait simplement rendue plus sensible au pouvoir qu'exerçait leur aïeule sur ses descendants. La fée demeurait présente dans la vie de la fillette, comme dans la sienne.

— Son père a essayé d'utiliser ces pierres pour rendre la vue à Méloé, expliqua Ainarde, tandis que Philémon faisait tourner entre ses doigts le galet bleuté, presque transparent. La légende dit que ce sont les larmes que la fée a versées lorsque Rémon de Sassenage l'a abandonnée, d'où leur surnom. Selon les croyances populaires, il suffit de placer une pierre sur chaque paupière pour que leur effet soit immédiat. Comme vous pouvez le constater, dans le cas de Méloé, cela resta sans suite.

La petite tira Philémon par son tabard* et il se baissa pour être à sa hauteur. Elle chuchota à son oreille :

— Je ne peux te dire où se trouve l'anel, mais tu le trouveras !

Surpris qu'une si jeune personne puisse lui parler avec des mots aussi justes, le page fronça les sourcils, se demandant s'il n'était pas en train de rêver.

— Je suis jeune de corps, mais vieille d'âme ! reprit la fillette d'une voix changée. Va, poursuis ta quête, car ta cause est juste et noble ! Ma vie ne sera plus très longue maintenant. Ne t'inquiète pas de moi !

Pour le page, le surnaturel n'était finalement plus très surprenant depuis qu'il avait vu la silhouette de la fée sur les créneaux de Montelles. Et cette fois, il ne devait avoir aucun doute, Mélusine s'exprimait par la voix de la petite et l'encourageait à se rendre à Hierges pour prendre possession du second anneau à condition, bien entendu, que le bijou y soit encore !

Il serra le poing sur la pierre bleutée, se demandant pourquoi l'enfant, et par conséquent la fée, lui faisait ce présent.

— On dit que Mélusine a vécu ses derniers jours… continua dame Ainarde.

Ses confidences furent interrompues par l'arrivée du comte et de son fils Jean le chartreux.

— Il serait plus prudent que vous ayez une escorte, du moins tant que votre cousin et vous serez sur mes terres, déclara Sassenage en s'avançant dans la pièce.

Une quinzaine de soldats vous accompagneront le plus loin possible.

— Mais… protesta Philémon, qui n'avait guère envie d'avoir des hommes d'armes continuellement à ses braies.

— Pas de mais, damoiseau! C'est entendu avec votre cousin.

Le page bougonna. Avoir des inconnus à portée d'oreilles ne faciliterait pas les échanges entre Grégoire et lui. De plus, le chevalier serait sans doute moins porté à poursuivre son récit concernant Mélusine, même si, lui, Philémon, avait impérativement besoin d'en savoir plus avant d'arriver à Hierges. La perspective de ce fâcheux contretemps lui dessina une moue sur les lèvres.

Dépité, Philémon glissa la larme de Mélusine dans sa bourse, où se trouvaient déjà la main de Myriam et la lettre dont lui avait fait cadeau le mire Noâm ben Eleazar, mais aussi le parchemin trouvé dans le mur de Montelles, la petite fiole d'eau puisée dans le bassin de Siloé, celle contenant le sable de Jérusalem et les noyaux d'olive. Il ne possédait pas d'autres trésors, hormis son épée et son cheval.

Le lendemain à l'aube, Philémon et Grégoire firent leurs adieux à Druon et à Albérade, les remerciant de leur aimable hospitalité. Comme promis, le poulain écrivit une recommandation pour le pâtre, au cas où celui-ci se déciderait à partir pour la Terre sainte. Avec cet appui, il serait bien reçu chez les Hospitaliers de Le Poët-Laval. Il pourrait bénéficier de leur compagnie jusqu'à Jérusalem, ce qui assurerait sa sécurité, au contraire de ceux qui se lançaient seuls sur les routes et dans l'aventure et qui, bien souvent, perdaient la vie avant même d'avoir pu mettre le pied sur une nef.

Druon affirma qu'il partirait au début de l'automne, lorsque le village serait totalement reconstruit et aurait retrouvé sa quiétude. Le comte de Sassenage ayant convenu de maintenir une garnison de soldats plus importante au château, les villageois se sentaient rassurés. De son côté, Trefféac avait affirmé à Grégoire que son compagnon et lui resteraient quelques mois sur place, le temps que Liry se rétablisse complètement. Cela leur donnerait aussi l'occasion d'enseigner aux paysans à se défendre eux-mêmes, comme le faisaient ceux du royaume latin d'Orient, sous la tutelle des moines-soldats hospitaliers, templiers et teutoniques. Si Gueuledeloup et sa bande revenaient, ils seraient donc bien accueillis.

Quelques heures plus tard, escortés d'une quinzaine d'hommes d'armes, Grégoire et Philémon reprirent leur longue remontée vers le nord, en direction de Hierges, dans les Ardennes.

⚜

Les journées passèrent, monotones. Le jour, la troupe avançait d'un bon pas et les lieues défilaient.

La nuit, ils dormaient dans un hameau, une cabane de berger ou une grotte. Ils ne connurent aucun incident. Parfois, retentissaient au loin les longues plaintes des loups, mais ils n'en virent point.

Philémon avait grande hâte que son cousin reprenne son récit, ce que le poulain s'abstenait de faire depuis huit jours, au désappointement du page. Par contre, grâce aux hommes d'armes, l'enfant avait suivi un entraînement rigoureux et avait reçu de très bons conseils de ces combattants expérimentés. Son épée de bois ayant brûlé dans la masure d'Albérade, c'était dorénavant avec sa lame d'acier qu'il devait s'exercer, même si l'arme était lourde et difficile à manier. Mais il ne s'en plaignait pas. Il se sentait devenir un homme un peu plus chaque jour.

Une semaine après leur départ, ils arrivèrent au gué d'une rivière. Les soldats leur annoncèrent qu'ils ne pouvaient aller plus loin sans contrarier leur puissant voisin, ce qu'ils n'avaient nulle intention de faire. Depuis des heures, Philémon n'attendait que cet instant, et ce fut avec un grand sourire qu'il agita la main lorsque les gardes tournèrent bride.

En effet, depuis que le chef de l'escorte lui avait désigné au loin le donjon de Pierre Scize* dominant la Saône, rivière qui s'engouffrait entre deux collines, et lui avait raconté que le comté venait de passer des mains de Guigues, comte de Forez, à celles des chanoines de Lyon, Philémon ne tenait plus en place. Évidemment, le nom Forez avait réveillé son intérêt et son attrait pour la suite des aventures de Mélusine. Hugues, le frère de Raimondin, n'avait-il pas été comte de Forez, en son temps?

Le commandant du détachement leur avait également dit que cette place forte se dressait à la frontière entre le royaume de France et le Saint-Empire romain germanique, mais de cela, Philémon s'en moquait totalement.

En fin d'après-midi, les voyageurs entrèrent dans la ville de Lyon et se firent indiquer l'auberge la plus confortable où ils s'installèrent pour souper d'un bouillon mijoté comprenant de la viande, des oignons et des épices, et dans lequel ils trempèrent leur pain. Grégoire avait indiqué à son cousin qu'il existait une commanderie hospitalière à quelques lieues à l'ouest, mais Philémon préférait voyager en droite ligne plutôt que de faire des détours. Il pensait qu'il serait bien temps de demander asile aux Hospitaliers s'ils se sentaient en danger ou ne trouvaient pas d'autres endroits où se reposer.

Enfin ce soir-là, Grégoire reprit son histoire, sans se faire prier.

Enfermé dans sa chambre, Raimondin était en train de perdre la tête. Son angoisse augmentait à mesure que les rires de son frère Hugues et des nobles s'intensifiaient au pied de la tour. Des idées de vengeance ne cessaient de tourmenter son esprit. Il s'approcha d'un pan de mur où étaient accrochées de nombreuses épées. Il en choisit une, courte et tranchante; puis songeant que ce ne serait peut-être pas suffisant, il s'empara d'un perce-maille, une sorte de dard effilé capable de trouer un haubert de mailles, et d'un coustel affûté. Ainsi bien armé, il était sûr de surprendre celui qui lui avait volé son honneur et de le tuer. Il allait sortir de sa chambre pour défier les nobles qui l'insultaient par leurs éclats de voix lorsque ses yeux tombèrent sur un petit meuble où il avait l'habitude de s'installer pour écrire. Il y découvrit un parchemin cacheté et reconnut le sceau de son fils Urian. Oubliant tout, il déposa vite ses armes pour ouvrir cette lettre qu'il attendait depuis des semaines. Elle était signée de son aîné, mais aussi de son troisième enfant, Guyon.

Ses deux garçons racontaient le grand voyage qu'ils avaient entrepris depuis plusieurs mois et leurs aventures, et le rassuraient sur leur santé. En terminant, ils demandaient à leur père de serrer bien fort Mélusine dans ses bras et de l'embrasser pour eux. En lisant ces quelques lignes, Raimondin perdit toute fureur. Il se laissa tomber sur son lit, songeant à quel point il aimait sa femme et sa famille. Tandis que des larmes inondaient son visage, Raimondin reprit la lecture du billet. Urian racontait comment il était devenu roi de Chypre, grâce à son héroïsme.

Lorsque Urian de Lusignan était arrivé dans ce pays, le roi en titre était assiégé dans sa ville de Famagouste par plus de cent mille Turcs Seldjoukides. Apprenant cela, Urian et son frère Guyon revêtirent leurs plus robustes cottes de mailles, déployèrent leurs étendards et, avec leurs troupes, s'élancèrent par d'étroits sentiers en direction de la cité. À cette vue, les Sarrasins s'armèrent à leur tour. Mais les Chypriotes, se trompant sur les intentions de leurs ennemis, crurent qu'ils allaient fuir. Abandonnant toute prudence, le roi de Chypre se lança alors à l'assaut, tandis que les bannières claquaient au vent et que résonnaient les trompettes. Le choc des deux armées fut rude. Il y eut des milliers de morts dans un camp et dans l'autre. Au milieu du tumulte, les mahométans se jetèrent sur le roi de Chypre et un trait empoisonné le traversa de part en part. Puis, beaucoup plus nombreux, les Sarrasins eurent le dessus sur le champ de bataille et poursuivirent les Chypriotes, forcés de se retrancher de nouveau dans Famagouste.

Bientôt dans la ville montèrent des plaintes et des cris lorsque tous apprirent le sort de leur roi bien-aimé qui se mourait lentement. La jeune Hermine, seule héritière du royaume, s'arracha les cheveux et lacéra ses vêtements en signe de désespoir, comme le voulait la coutume.

Pendant ce temps, le valeureux Urian et son frère Guyon, étendards déployés, se jetaient sur les envahisseurs qu'ils avaient pris à revers. La lutte fut farouche, bien des épées et des lances furent brisées d'un côté comme de l'autre. Au cours de l'assaut, Urian et Guyon usèrent de ruses et rivalisèrent de prouesses, réussissant à tuer et à blesser de nombreux combattants, sans subir une seule égratignure. Leurs épées semblaient animées d'une volonté qui leur était propre. Elles tournoyaient à une vitesse folle, s'abattant sur leurs adversaires avant même que ceux-ci n'aient pu apercevoir les deux frères. Leurs chevaux les emportaient au cœur de la bataille, en survolant les corps des hommes et des animaux abattus. Le sultan, chef des musulmans, comprit rapidement qu'il devait absolument se débarrasser de ces deux chevaliers étrangers. Brandissant un sabre court et recourbé, il se précipita sur Urian, mais un des hommes d'armes des Lusignan se jeta devant son seigneur pour le protéger et ce fut sa tête qui roula entre les jambes des chevaux. Voyant cela, Urian s'enflamma de colère; il empoigna son épée à deux mains et en asséna un coup si puissant sur le crâne du chef musulman qu'il le lui fendit jusqu'aux dents.

La perte de leur sultan jeta l'épouvante dans les rangs des Sarrasins, mais l'horreur se poursuivit sans relâche, les deux frères massacrant tous ceux qui avaient le malheur de se trouver devant eux. Finalement, en débandade, les mahométans coururent vers leurs navires et s'enfuirent.

Les deux frères montèrent leur campement au bord de la mer, sur le site même de leur victoire. Bientôt, les Chypriotes les convièrent à entrer dans la ville, en signe d'amitié. Tous les habitants de Famagouste virent alors arriver les deux jeunes hommes, si grands, si forts, et pourtant si laids de visage. Beaucoup se signèrent sur leur passage en se disant qu'ils n'avaient jamais vu de pareils hommes, valeureux et monstrueux à la fois. Malgré son état de faiblesse, le roi les reçut bien et leur fit fête.

— Qui êtes-vous donc, messires chevaliers, vous qui êtes venus à mon secours sans me connaître? s'enquit le souverain d'une voix affaiblie par le poison qui rongeait son sang.

— Noble sire! Je suis Urian de Lusignan. Je ne crains pas de dire mon nom et pour rien au monde je ne le cacherai, car j'en suis fier. Et voici mon jeune frère Guyon de Lusignan.

— Amis, votre venue me remplit de joie! murmura le roi.

Puis, après un long silence, il reprit:

— Je vous demande un dernier service, messire Urian, car je sens venir la mort. Nul mire ne peut me venir en aide. Accordez-moi un dernier vœu. Vous n'y perdrez rien, tout au contraire, vous avez tout à y gagner.

— Volontiers! répondit Urian.

— Je mourrai plus tranquille! soupira le roi. Que viennent tous mes barons et bannerets*, ainsi que ma fille Hermine...

Lorsque tous furent rassemblés dans la grande salle du palais royal, le roi déclara:

— Amis, barons et chevaliers... je me meurs! J'ai tout fait pour protéger mon peuple et Chypre des païens. Malheureusement, je ne peux guérir. Hermine est l'héritière légitime de ce royaume...

Aussitôt, les barons et les nobles tombèrent à genoux pour jurer fidélité et loyauté à la jolie jeune fille qui n'avait pas encore quinze ans.

— Écoutez-moi! poursuivit le roi. Je n'ai pas appris à mon unique enfant à manier l'épée comme à un chevalier, elle ne saura vous défendre contre nos ennemis. Or, j'ai bien vu la vaillance d'Urian de Lusignan contre le sultan. Avec sa petite troupe, il a fait plus que nous tous en plusieurs semaines de siège. Il a bien voulu m'accorder un dernier vœu...

Les nobles hochèrent la tête en silence.

— Urian de Lusignan, je ne vous demande aucun bien, ni terre ni or. Au contraire, je veux simplement vous donner mon plus précieux trésor. Je vous offre ma fille Hermine pour épouse, et puisqu'elle est mon unique héritière, je vous donne aussi mon royaume.

Aussitôt, des cris de joie et des vivats jaillirent des gorges des barons, bannerets, nobles et chevaliers, car tous avaient apprécié la vaillance d'Urian de Lusignan sur le champ de bataille et l'aimaient déjà.

— Je vous remercie de ce grand honneur, sire. Si je ne savais que la mort glisse dans vos veines, je n'accepterais point, mais puisque tel est votre désir, je vous accorde ce dernier vœu.

Les épousailles furent célébrées sur-le-champ dans la propre chambre du roi qui rendit l'âme peu après. Le lendemain eurent lieu les funérailles. Le désespoir et la tristesse furent si grands dans le royaume que les tournois et les festivités qui accompagnent généralement les noces furent annulés. Seul un grand banquet fut organisé et des largesses distribuées dans les villes et villages de Chypre.

Ce fut cette nuit-là que Hermine et Urian de Lusignan conçurent leur fils Griffon, qui deviendrait plus tard un redoutable combattant, en participant à de nombreuses batailles en Terre sainte.

— L'année suivante naquit Hervé, leur second fils, précisa Grégoire.

«Hmm! Je me demande si Urian portait un des anneaux de Mélusine», songea Philémon.

Comme Grégoire ne les avait pas mentionnés, le page n'osa attirer l'attention de son cousin sur ces puissants talismans. Depuis quelque temps, il se demandait si le chevalier était au courant de l'existence des anels et de leur puissance, et s'il n'avait pas choisi d'omettre volontairement certains détails du récit les concernant.

«Mon père m'en dira plus. Comme il me tarde d'être à Hierges!»

10

La dernière étape du long voyage de Philémon et Grégoire allait s'achever dans quelques heures. Ils avaient quitté Sassenage depuis un peu plus d'un mois déjà. Au fil des jours, Grégoire avait poursuivi son récit, s'attardant sur les aventures des fils de Mélusine. Ainsi, Philémon apprit comment Guyon vola au secours de Florie d'Arménie, dont le père, frère du roi de Chypre, venait subitement de rendre son âme à Dieu, sans héritier mâle :

Les nobles d'Arménie, ayant entendu parler des prouesses des frères Lusignan, avaient dépêché un messager à Urian pour lui demander d'envoyer son cadet à leur secours, car un trône sans héritier serait bien vite l'objet de toutes les convoitises de ses puissants voisins. Dès son arrivée, Guyon fut couronné roi dans l'allégresse générale et épousa Florie. La nuit même de leurs noces, ils conçurent leur fils Rémond.

Toutes ces bonnes nouvelles firent complètement oublier à Raimondin ses idées de vengeance. Il n'avait plus qu'une hâte, que la nuit du samedi au dimanche s'écoule, pour enfin partager son bonheur avec Mélusine. Il ne prêta plus aucune attention aux rires et aux éclats de voix de son frère, raccrocha ses armes au mur et s'endormit le cœur heureux.

Le lendemain, Mélusine et lui se réjouirent ensemble de la bonne fortune de leurs enfants. La fée décida aussitôt de faire construire à Lusignan une grande église consacrée à Notre-Dame en remerciement des bienfaits qu'avaient connus ses fils Urian, qui avait tout juste vingt-deux ans, et Guyon, âgé de dix-huit ans.

Quelques jours après la réception de cette lettre, Odon, le second en ordre de naissance, qui avait presque dix-neuf ans, demanda à ses parents de lui trouver une gentille et jolie épouse. Ils n'eurent guère à chercher loin. Le comte de la Marche, voisin du Poitou, cherchait justement un bon parti pour sa petite Berbone, âgée de treize ans. Malgré sa grande oreille qui lui touchait l'épaule, Odon était un beau jeune homme et la damoiselle se dit honorée de devenir sa femme. La renommée de la famille Lusignan était grande parmi tous ses voisins; on connaissait leur bravoure, on appréciait leur richesse. Quelques mois plus tard, à la mort de son beau-père, Odon hérita du titre de comte de la Marche et des terres qui lui étaient rattachées. Berbone et Odon conçurent leur fils, Bernardin, la nuit même de leurs épousailles, comme le voulait la tradition familiale.

Ce soir-là, Grégoire interrompit ici son récit.

— Je suis fatigué. Je poursuivrai demain. Bonne nuit.

Quelques minutes plus tard, enroulé dans son mantel, il ronflait. Il faut dire que le soir, après une rude journée de chevauchée, le chevalier n'avait pas toujours la force ni la volonté de poursuivre son histoire, si bien que Philémon devait patienter et attendre le bon vouloir de son cousin, même s'il avait envie de connaître la suite.

— Nous serons bientôt à Hierges et je n'en sais pas beaucoup du conte* de Mélusine, de Raimondin et de leurs fils ! se plaignait-il souvent à voix haute, en se mettant au lit dans une auberge ou en s'endormant à la belle étoile dans une forêt glaciale. Quand vas-tu me narrer le reste ?

— Si je n'ai pas fini lorsque nous arriverons chez toi, eh bien, tu n'auras qu'à demander à ton père de poursuivre, le rabrouait Grégoire, qui devenait de plus en plus impatient au fur et à mesure que le trot de leurs chevaux les rapprochait des Ardennes.

Tout comme son cousin, il lui tardait d'en apprendre plus sur le deuxième anneau.

Enfin, une semaine après lui avoir fait le récit des aventures d'Urian à Chypre et de Guyon en Arménie, le poulain trouva un moment pour reprendre son histoire.

Un jour, ce fut au tour d'Antoine – celui qui portait une patte de lion en saillie sur la joue –, et de son frère

Renaud, qui n'avait qu'un œil, de quitter Lusignan pour chercher la gloire et l'aventure. Ils se dirigèrent vers Luxembourg, une ville de grand renom qu'ils trouvèrent assiégée par le roi d'Alsace. Ce dernier voulait à tout prix enlever Christine, une gente damoiselle de grande beauté, fille de feu monsieur le duc de Luxembourg, et, par le fait même, régner sur ses terres. Les deux frères y virent l'occasion de réaliser de grandes prouesses. Pour rien au monde, ils n'auraient renoncé à une bonne bataille.

Les Lusignan et leur armée se présentèrent non loin du camp du roi d'Alsace. Ils envoyèrent aussitôt leur héraut pour défier cet envahisseur. Celui-ci ne se fit pas prier. Lui qui était grand, fier et belliqueux, vit là l'occasion de briller aux yeux de la jeune fille retranchée dans sa forteresse. Antoine et Renaud s'élancèrent avec leur troupe contre les hommes d'armes qui brandissaient leurs guisarmes* avec aplomb en se plaçant en ordre de bataille.

— Lusignan! Lusignan! crièrent Antoine et Renaud en se jetant dans la mêlée.

Le fracas fut tel que la terre en trembla. Les hurlements, les cris et les insultes fusaient d'un côté comme de l'autre. Les deux frères semblaient voler sur leurs chevaux tellement leur course était folle. Leurs armes s'abattaient comme de la grêle sur les casques et les fendaient d'un seul coup.

Soudain, Antoine se retrouva face au roi d'Alsace. Il leva son brant pour le tailler en pièces, mais ce dernier jeta bien vite son épée en demandant merci. Voyant cela, les Alsaciens fuirent, poursuivis par les Poitevins conduits par Renaud qui continuèrent le massacre.

Lorsqu'ils se furent rendus maîtres du terrain, les frères Lusignan envoyèrent une délégation à la belle qu'ils venaient de secourir. Six chevaliers furent priés de livrer le roi prisonnier à la forteresse.

La jeune Christine s'étonna et demanda le nom de ses sauveurs. Un vieux chevalier à la barbe blanche, entièrement vêtu d'azur et d'argent, la renseigna sans tarder: il s'agissait d'Antoine et de Renaud de Lusignan.

— Qu'ils me demandent ce qu'ils veulent, si c'est en mon pouvoir, j'exaucerai leurs vœux, répondit la belle, reconnaissante.

Aussitôt, elle convoqua ses barons et bannerets et ordonna qu'on fasse venir les deux frères et qu'on accueille aussi les plus nobles de leurs chevaliers dans la ville.

Dès que le message leur fut délivré, Antoine et Renaud remercièrent leur hôtesse:

— Nous viendrons avec plaisir avec cinq cents de nos plus estimés vassaux, répondit Antoine, l'aîné.

Puis, les deux frères envoyèrent leurs fourriers, officiers chargés d'assurer leur logement, à la forteresse, afin qu'ils installent les tentes et veillent à bien héberger les seigneurs et les hommes du Poitou. Quelques heures plus tard, faisant claquer au vent leurs étendards azur et argent, et faisant résonner les trompettes des hérauts, les Lusignan entrèrent dans Luxembourg, sous les yeux d'une foule ébahie par tant de magnificence et de vaillance.

Les frères furent bien entendu conviés à la table de la belle Christine où avaient aussi été priés le roi d'Alsace, en prisonnier de qualité, et les plus importants seigneurs du comté. La fête fut magnifique.

Après le repas, le roi d'Alsace s'adressa aux preux qui l'avaient capturé.

— Je suis votre prisonnier. Je vous en prie, décidez de ma rançon!

— Vous n'êtes point notre captif, messire, répondit Antoine. Nous avons simplement fait acte de courtoisie envers la gente damoiselle devant votre vilénie. À elle de décider de votre sort.

Le roi s'inquiéta. La belle Christine avait la réputation d'être redoutable avec ses ennemis. Mais, contre toute attente, elle remit la vie de son prisonnier entre les mains des deux frères.

— Seigneurs, je vous remercie de l'immense service que vous m'avez rendu. Même si j'étais mille fois plus riche, je ne saurais jamais assez vous récompenser de ce que vous avez fait pour moi. Je vous offre ma reconnaissance éternelle. Faites ce que bon vous semble de votre otage.

— Puisqu'il en est ainsi, répondit Antoine, nous le libérons, pourvu qu'il fasse réparation des torts qu'il vous a causés. Qu'il se mette à genoux et jure de ne plus jamais chercher à vous faire le moindre mal.

— Qu'il en soit fait comme vous demandez! accepta Christine.

Le roi d'Alsace fut tout heureux de s'en tirer à si bon compte. Lui qui avait une peur affreuse de la mort jura tout ce qu'on lui avait ordonné de dire. Après avoir prêté serment, il s'adressa aux barons de Luxembourg.

— Messires, je serais honoré de compter pour voisins de nobles et vaillants chevaliers. Voyez la douce et belle Christine qui règne seule sur un pays rempli de richesses et qui attise toutes les convoitises. Il conviendrait de lui donner en soutien le bras d'un de ces puissants chevaliers qui l'ont si bien servie aujourd'hui. Écoutez mon conseil, barons de Luxembourg, mariez Christine et Antoine. Elle ne saurait trouver meilleur époux.

— Le roi d'Alsace parle bien! releva un des anciens compagnons de feu le duc. J'appuie sa proposition.

Tous les nobles de Luxembourg se rangèrent vite à cet avis et on célébra sur-le-champ les noces d'Antoine et de Christine. Pendant huit jours, tournois, bals, joutes et jeux se succédèrent pour la plus grande joie du peuple et de la noblesse du comté. Et ce fut la nuit de leurs épousailles que les jeunes amants conçurent leur premier fils, Bertran, à qui ils donnèrent, deux ans plus tard, un frère appelé Lohier.

— Et Renaud, qu'est-il devenu? questionna Philémon.

— Je te raconterai la suite un autre soir, répondit Grégoire, en lui tournant le dos sur la couche de paille qu'ils partageaient dans une grange où un paysan leur avait offert l'hospitalité. Dors! Demain, nous partirons avant l'aube. Il y a une salle de garde hospitalière à

Crimolois. Le frère Eudon de Magny nous y recevra, à condition de ne pas arriver après le coucher du soleil. Nous y trouverons des vivres et un bon lit.

Le page bougonna, mais finit par s'endormir. La fatigue de leur longue chevauchée vers le nord se faisait de plus en plus sentir.

ℳ

Eudon de Magny les accueillit avec joie dans le manoir entouré de fossés qui servait de maison forte aux Hospitaliers. Un colombier reliait l'hospice aux écuries et tout au fond se trouvaient, près d'une petite chapelle, deux tours carrées qui constituaient la demeure du commandeur. Ils décidèrent de s'y reposer deux jours et Philémon profita de leur inactivité pour presser Grégoire de questions au sujet de Renaud de Lusignan. Le chevalier finit par céder et narra les aventures du cinquième fils de Mélusine.

La fête des épousailles d'Antoine et Christine battait son plein lorsqu'un messager à bout de souffle parvint à la forteresse de Luxembourg. La missive était destinée au roi d'Alsace. Ce dernier se hâta de briser le sceau qu'il avait reconnu puisque c'était celui de son frère, Frédéric, roi de Bohême. Il parcourut rapidement le courrier et, au fur et à mesure de sa lecture, son visage devint de plus en plus pâle. Il fallut lui donner un siège, car ses jambes ne le portaient plus.

142

— Que se passe-t-il donc? l'interrogea Antoine. Je vois bien que le malheur vous atteint...

— Argh! Quelle terrible situation, répondit le roi d'Alsace, complètement défait. C'est un message de mon frère, le roi de Bohême. Les Slaves du roi de Cracovie l'assiègent dans sa bonne ville de Prague. Il faut lui porter secours, mais je ne puis. Mes gens d'armes ont été tués ou blessés lorsque j'ai tenté de prendre la forteresse de dame Christine. Mon armée est en déroute. Je ne peux que lui répondre qu'il n'a qu'à mourir en se défendant vaillamment.

— Ne vous désolez pas, ami! le rassura Antoine. Votre cher frère sera secouru. Renaud conduira notre armée à son aide. Nous le débarrasserons des Slaves.

— Mille mercis, mes seigneurs. Je vous en fais la promesse, Renaud recevra ma nièce pour épouse. Elle ne pourrait être mieux mariée. Et un jour, il sera roi de Bohême, car mon frère n'a point d'autre héritier que la radieuse Églantine.

— Noble roi, rassemblez vite le reste de votre armée d'Alsace et tous ceux que vous pourrez trouver. Dans quinze jours, les soldats de Luxembourg et de Poitou seront prêts et nous marcherons tous ensemble. Je mènerai vos hommes et ceux du comté en personne, et mon frère Renaud sera à la tête des troupes de Lusignan.

Comme prévu, deux semaines plus tard, les armées se rejoignirent; il y avait bien trente mille hommes. Juste au moment du départ, Christine s'adressa à son nouvel époux:

— Antoine, pour l'amour de moi, je vous en prie, portez les couleurs de Luxembourg.

— Belle dame, vous me faites trop d'honneur! Mais cela est impossible. Je dois porter les armes de Lusignan, mais si vous le permettez, puisqu'il y en a également un sur vos armoiries, j'y ajouterai l'ombre d'un lion, car je suis né avec une patte de lion sur la joue.

— Je vous en remercie, Antoine. Ainsi, vous porterez à la fois vos couleurs et les miennes qui sont très anciennes.

Puis, l'armée leva le camp et marcha à grand bruit vers la Bohême, chassant tout le monde sur son passage et faisant trembler la terre.

Depuis des mois, le roi de Cracovie harcelait les Bohémiens, mais ce jour-là, Frédéric, roi de Bohême, s'arma de toutes pièces puis coiffa son casque. Faisant ouvrir les portes de sa ville, il sortit avec bon nombre de ses nobles guerriers. Il fondit sur les Slaves et une bataille sans pitié s'engagea. Cependant, les Slaves étaient beaucoup trop nombreux, tant et si bien que les Bohémiens durent reculer. Seul, encerclé, Frédéric combattit de toutes ses forces, sans céder un pouce de terrain, même s'il se trouvait isolé au milieu de ses ennemis. Malheureusement, un soudain trait d'arbalète l'atteignit mortellement. Le roi de Bohême tomba de cheval, tué sur le coup.

Les Bohémiens fuirent et se réfugièrent auprès d'Églantine, la fille de leur souverain bien-aimé. Tous tremblaient devant les assauts des redoutables Slaves. Ces derniers allumèrent un grand bûcher devant les portes de la ville et y jetèrent les corps de Frédéric et des nobles tombés au combat. Dans Prague, ce ne fut que douleur, larmes et désolation.

Soudain, au loin, des éclats de lumière émergèrent parmi les fumées des feux des Slaves. Le soleil faisait luire de mille éclats les cervelières* d'une immense armée. Antoine, Renaud et le roi d'Alsace arrivaient. Les Slaves, tout occupés à s'attaquer à la forteresse, leur tournaient le dos et ne les virent donc point venir.

Dans le château, la pauvre Églantine se désespérait.

— Hélas, mon père est mort. Je ne suis qu'une orpheline sans soutien. Que vais-je devenir? Et mon pays qui est en ruine! Que puis-je faire?

Tandis que les Slaves continuaient d'assaillir Prague, un messager envoyé par Antoine réussit à se faufiler en secret dans la ville.

— Courage, ma dame! cria-t-il. Vous serez bientôt défendue. Voici votre oncle, le roi d'Alsace, qui vient avec Antoine et Renaud de Lusignan, et avec eux de nombreux gens d'armes. Tenez bon, gente damoiselle.

Entendant cela, les barons de Prague se réjouirent et reprirent courage. Ils se mirent à défendre leur forteresse plus âprement. À ce regain de vigueur, les Slaves comprirent que des renforts allaient sans doute arriver.

Bientôt, leurs guerriers se mirent à chuchoter:

— Vite! Quittons cette esquermie. Nous sommes pris à revers par une forte armée qui arrive à toute allure.

Ils se dispersèrent et regagnèrent leur campement. Les trompettes se mirent à sonner pour que les bataillons se rassemblent. Au loin, les renforts menés par Antoine se rapprochaient rapidement. Le combat ne pouvait plus être évité. Les écus furent transpercés, les casques furent défoncés, les épées et les lances brisées. Un seul coup de Renaud abattait deux Slaves à la fois. Les hurlements d'Antoine jetaient la terreur parmi leurs adversaires.

— Lusignan! Lusignan! Sus à l'ennemi!

Le roi de Cracovie, voyant ses hommes être balayés comme des fétus de paille, tenta de les exciter et se jeta en avant. Mais Renaud, furieux, éperonna son destrier et abattit lourdement son brant sur le crâne du roi qu'il fendit jusqu'aux dents. Le souverain slave, abattu, tomba raide mort parmi les siens, ce qui jeta la consternation et l'effroi dans ses troupes. En quelques minutes, l'issue de la bataille fut scellée. Les Slaves se retirèrent en ordre dispersé, puis sans prendre le temps de lever leur campement, ils fuirent jusqu'en leur pays.

Le roi d'Alsace fit aussitôt brûler les corps du roi de Cracovie et de ses nobles, comme ceux-ci l'avaient fait de la dépouille de son frère Frédéric. Puis, il se hâta d'entrer dans la ville de Prague pour réconforter sa nièce. Églantine se précipita à sa rencontre et se blottit dans ses bras.

— Ma nièce, dit le roi d'Alsace, la mort de ton père a été vengée. Ne t'afflige plus. Ton peuple a besoin de ta force. Reprends courage, c'est ce qu'exige la sagesse. Tu n'as plus à avoir peur, tu n'as pas à avoir honte. La victoire t'appartient.

Le lendemain eurent lieu les obsèques du roi Frédéric et de tous les nobles bohémiens. Tous les regards cependant étaient tournés vers Antoine et Renaud. Leur haute taille et leur élégance, tout autant que leurs difformités physiques, furent au cœur de tous les commentaires. La patte de lion d'Antoine excita la curiosité et l'œil unique de Renaud suscitait les spéculations. Étaient-ils des êtres surnaturels? Jamais on n'avait vu d'aussi imposants chevaliers.

L'après-midi même, le roi d'Alsace réunit les nobles de Bohême ayant survécu au carnage.

— Écoutez-moi, messires! Il faut choisir celui qui gouvernera votre pays désormais.

— C'est juste! dirent les princes. Mais la décision vous appartient. Si Églantine mourait, le pays vous reviendrait. Vous devez donc régler la succession.

— Il faut marier ma nièce, clama le roi d'Alsace. Donnez-moi votre avis sur ce point.

— Seigneur, nous sommes à vos ordres! Nous n'accepterons d'autre chevalier que celui qu'il vous plaira de désigner, déclara le plus âgé des barons.

— Eh bien, vous aurez pour roi un homme de bien, un homme d'honneur, un homme courtois, doux et vaillant. Un chevalier hardi et courageux. Le seul que je veux est d'une noble maison et a pour frères deux rois et un comte de grande puissance. Il est venu à votre secours et a délivré votre cité.

Sur un signe de lui, Renaud s'approcha.

— Messire, je vais tenir ma parole, reprit le roi d'Alsace. Renaud, je vous ai promis la couronne de ce royaume, je vous donne donc ma nièce Églantine, ainsi que son pays.

Renaud inclina la tête pour accepter, tandis que Antoine s'écriait:

— Sire, je vous remercie de votre grande courtoisie. En tant qu'aîné, et parlant au nom de mon père et de ma mère, je déclare que Renaud épousera Églantine. Il gouvernera bien cette terre et saura la protéger.

Et ce fut ainsi que le cinquième fils de Mélusine devint roi à son tour. Les festivités durèrent quinze jours. Puis, Antoine retourna auprès de son épouse Christine.

On dit que Renaud fut un roi très aimé des Bohémiens, qu'il mena de grandes conquêtes et vécut une vie exemplaire en compagnie de la douce Églantine et de leur fils Oliphars, conçu la nuit même de leurs noces.

— Ce fut un grand destin que connurent les enfants de Mélusine, commenta Philémon. J'ai bien hâte de savoir ce qu'il arriva à Geoffroy, Fromont, Orrible, Thierry et Raimonet!

En lui-même, il se disait qu'il voulait surtout en apprendre plus sur son propre ancêtre, Raimonet, seigneur de Forez et de Hierges, même si les aventures des autres fils de la fée l'éclairaient sur la sublime destinée de chacun d'eux.

Quelques jours plus tard, Grégoire lui annonça enfin qu'ils avaient pénétré dans le domaine de Manassès de

Hierges, son père, qui étendait son pouvoir seigneurial sur neuf villages des Ardennes.

$$\mathfrak{M}$$

Depuis le lever du soleil, les deux cousins avançaient dans une brume épaisse qui donnait au paysage des allures fantomatiques. Ils venaient d'apercevoir une harde de cerfs et une soixantaine de biches gravides au cœur de la profonde forêt limitrophe des terres du comté de Hierges. Depuis leur arrivée en Occident, ils avaient croisé de nombreux animaux inconnus de l'Orient, et chaque fois que cela était possible, ils avaient pris le temps de les observer pour comprendre leur comportement. Ils avaient appris à les chasser pour leur viande, mais avaient aussi découvert qu'il valait mieux en éviter d'autres, comme les ours et les loups.

Ils s'arrêtèrent pour manger dans une clairière, non loin de la harde qui, contrairement à toute logique, ne s'enfuit pas. En réalité, les animaux sauvages de la région savaient accepter la présence des êtres surnaturels qui hantaient les bois, notamment les fées. Cette fois, ils avaient humé le sang de Mélusine qui coulait dans les veines de Philémon et s'en étaient sentis tranquillisés.

Tout autour d'eux, les bois bruissaient de chants d'oiseaux, de bourdonnements d'insectes et de craquements causés par le déplacement de petits ou de gros animaux. L'air était gorgé d'humidité qui révélait les odeurs d'humus et de champignons montant de la terre. Le printemps s'installait.

Les deux garçons se reposaient depuis une bonne heure lorsque, sans que rien eût pu le laisser présager, les animaux, nerveux, détalèrent. Bientôt, des chants alertèrent les voyageurs. Ils se hâtèrent de rassembler leurs bagages et dégaînèrent leurs épées, puis ils trouvèrent refuge derrière le fût énorme d'un chêne apparemment plusieurs fois centenaire, en tentant de calmer leurs chevaux qui renâclaient.

À leur grand étonnement, ils virent venir vers eux une étrange procession de villageois munis de lanternes. Les lumières orangées ajoutaient encore à l'aspect mystérieux de la forêt. Les chants s'étaient tus, mais plusieurs des participants psalmodiaient des invocations.

— Ils parlent d'une fontaine, chuchota Philémon.

Le groupe d'une vingtaine de personnes passa à moins de cinq toises des cousins, sans se douter de leur présence, tellement toutes étaient absorbées dans leurs prières. Elles s'enfoncèrent un peu plus profondément dans les bois. Le chevalier et le page se consultèrent du regard. Aussi curieux l'un que l'autre, ils s'accordèrent d'un signe de tête pour suivre la procession. Ils attachèrent leurs chevaux pour que les renâclements de ceux-ci ne les trahissent pas, puis se faufilèrent d'arbre en arbre derrière le cortège qui comptait dans ses rangs plus de femmes que d'hommes.

11

La procession s'immobilisa devant un rocher de grande dimension, un mégalithe datant de plusieurs millénaires, comme la région en comptait des centaines. Les luminaires furent disposés devant, en demi-cercle, et les femmes déposèrent des offrandes de nourriture à son pied. Puis, les hommes se mirent à creuser un trou assez profond. Les incantations reprirent. Grégoire et Philémon distinguèrent alors un couple portant un ballot de linges blancs. Les épaules voûtées, la femme était secouée de sanglots; son compagnon semblait tout aussi affligé. Doucement, l'homme prit le paquet, malgré la résistance de sa compagne dont les pleurs redoublèrent d'intensité. Le vilain s'accroupit et posa délicatement son fardeau dans le trou fraîchement creusé. Les autres villageois remplirent aussitôt la cavité de terre, tandis que le couple était en larmes.

Les voyageurs devinèrent qu'il s'agissait d'un enterrement, à coup sûr celui d'un nouveau-né, comme le leur confirmèrent bientôt les propos de la femme dont la voix tremblait :

— Bonne dame ! Je vous confie mon bébé…

— Bonne dame, occupez-vous bien de ma petite fille ! implora celui qui était sans aucun doute son époux.

— Emportez-la dans le royaume des Fées, dans votre Terre des Promesses où elle ressuscitera, ajouta une autre femme qui paraissait n'avoir guère plus d'une vingtaine d'années.

Elle était grande, svelte et belle. Enveloppée dans un manteau bourgogne richement orné, elle se démarquait des paysans par sa prestance. Philémon songea qu'elle devait être de noble parage*. De ses yeux tombait un regard assuré, habitué à ne se poser que sur des fronts courbés. Deux longues tresses de cheveux noirs glissaient jusqu'à ses fesses, faisant ressortir son teint blanc.

Figés, les cousins échangèrent des regards étonnés et rangèrent leurs armes. Ces gens n'étaient pas menaçants. Depuis leur arrivée en Occident, c'était la première fois qu'ils assistaient à une telle cérémonie venue d'un autre âge, celui où l'on invoquait les dieux païens et les fées, appelées les bonnes dames. Mais ici, au cœur des Ardennes, pays tapissé de sylves* sombres et profondes aux arbres millénaires et de rochers cachés et escarpés, la présence des peuples de la forêt était plus qu'une légende, elle était au centre des croyances, de la vie et de la mort. Elle rythmait encore l'existence quotidienne des villageois et des fermiers.

— Tu crois que c'est une sorcière ? souffla Philémon, en dirigeant son regard vers la dame qui avait recommandé l'enfant mort aux fées.

— Je le crains ! chuchota Grégoire.

— Oh ! Chut ! Il y a quelqu'un qui vient ! murmura le page.

Les cousins s'étirèrent pour mieux voir, au risque de se faire surprendre.

— Malheureux ! tonna la voix du nouveau venu qui portait une coule, longue robe brune à larges manches et à capuchon.

Les invocations s'interrompirent, tandis que le curé continuait de gronder.

— Rentrez tous au village ! Et vous, dame Odeline, que vous prend-il à courir les bois comme une gouge* ? Le seigneur Heribrand sera furieux lorsque je lui raconterai à quelle sorcellerie vous requérez en son absence.

Personne ne répliqua. Le curé avait tous pouvoirs sur ses ouailles. Même si Hierges ne comptait aucune église, le village dépendait de la paroisse voisine où le curé Silon régnait en maître.

— Le seigneur Heribrand ? Mon… mon père serait-il trépassé ? bredouilla Philémon, alarmé.

Grégoire haussa les épaules. Évidemment, il n'en savait pas plus que son cousin.

— Nous en apprendrons plus à Hierges, chuchota le chevalier. Retirons-nous avant qu'on nous découvre.

Avec mille précautions pour éviter de faire craquer une branche, ce qui pourrait trahir leur présence, les deux voyageurs retournèrent près de leurs montures.

En ce début d'avril, le château fort de Hierges leur apparut auréolé de brume, majestueux et menaçant à la fois, sur un éperon rocheux dominant une douce vallée. À son pied, des masures se pressaient les unes contre les autres, adossées aux rochers ou s'en éloignant, selon la configuration du terrain. Leurs toits de chaume noircis chapeautaient des murs de terre sortant du sol sur quelques coudées. Au-dessus, superbe et imposant, le château dressait sa lourde porte hérissée d'une herse, comme un bouclier impénétrable.

Depuis de longues minutes, Philémon s'était immobilisé pour le regarder, les yeux rivés sur une bannière qui flottait aux créneaux du donjon sombre et carré, percé de rares meurtrières. Il reconnaissait les deux léopards d'argent couronnés d'or sur fond rouge, les armes de sa famille. L'étendard hautain planait dans une attitude de défi. Le cœur du page se serra.

Connaîtrait-il bientôt ce père dont il ne savait rien ou était-il décédé? Arrivait-il trop tard? Avait-il des sœurs et des frères plus âgés? Plus jeunes? Géraud n'avait rien pu lui affirmer à ce sujet, toutefois sa tante Galiotte d'Irfoy lui avait confié que Manassès avait quitté sa seigneurie pour Jérusalem à l'âge de trente et un ans, après la mort de son épouse, dont le nom lui était inconnu. Selon elle, il avait eu deux filles de ce premier lit, Fadie et Audierne. Dans le royaume latin, il s'était remarié avec dame Alvis de Ramla, qui n'était cependant plus en âge de lui donner de descendance.

En Terre sainte, Manassès était le seigneur du château Mirabel dans le comté de Jaffa, et avait occupé le poste de connétable de Jérusalem. Pourquoi était-il revenu dans ses terres ardennaises? Le page était pressé de l'apprendre. Son père accepterait-il de lui en dire plus au sujet de sa mère, Helvis d'Irfoy? C'était l'un de ses plus grands espoirs, avec celui de prendre possession de l'anneau tant convoité.

Philémon pressa doucement des talons les flancs d'Étoile filante pour qu'elle l'emmène vers la forteresse. Il n'avait plus qu'une hâte, faire enfin la connaissance de son père, s'il était toujours en vie. Compréhensif, Grégoire le laissa prendre un peu d'avance.

Derrière les puissants remparts, les villageois allaient et venaient, vaquant à leurs occupations. Plusieurs inclinèrent la tête sur leur passage ou ôtèrent leur coiffe de tissu d'un geste empreint de respect. Quelques enfants jouaient. Des garçons s'entraînaient avec leurs épées de bois et des fillettes prenaient l'air en compagnie de leurs nourrices. Philémon s'emplit de cette vie joyeuse et affairée, cherchant à graver chaque scène dans sa mémoire.

Lorsque Grégoire l'eut rejoint, ils descendirent de cheval. Un valet se hâta de conduire les montures à l'écurie.

— Prends-en bien soin, l'avertit Philémon en lui tendant les rênes d'Étoile filante.

Les jeunes gens se dirigèrent vers le donjon, au moment où un adolescent d'environ seize ans en sortait. Le souffle manqua au chevalier d'Irfoy. Le garçon ressemblait comme deux gouttes d'eau à Philémon : mêmes boucles brunes, mêmes yeux bruns rieurs, même stature. N'eût été ses trois ou quatre ans de plus que le page, il aurait pu passer pour son jumeau.

Le noble se figea en voyant venir vers lui les deux visiteurs ; visiblement, lui aussi était frappé par sa ressemblance avec l'un des jeunes gens.

— Bonjour, messire, l'aborda poliment Philémon. Je cherche le seigneur de Hierges, pouvez-vous m'indiquer où le trouver ?

— Qui le demande ? s'enquit l'adolescent, un tantinet arrogant.

Philémon allait répondre, mais Grégoire préféra prendre les devants de manière à ce que son cousin ne puisse tout de suite décliner sa véritable identité.

— Nous sommes des voyageurs qui arrivent de Terre sainte et nous demandons l'hospitalité. Je suis le chevalier d'Irfoy et voici mon cousin, Philémon.

— Je suis Henri de Hierges, répondit le noble toujours sur le même ton empli de dédain. Veuillez me suivre. Mon père Manassès et mon frère aîné Heribrand sont absents. Il me fait plaisir de vous accueillir au château Jérusalem, en leur nom.

— Au château Jérusalem ! s'étonna Grégoire, sans s'arrêter à l'air orgueilleux de son hôte.

Pour sa part, Philémon semblait avoir perdu la voix, tant la stupeur de se découvrir un demi-frère était grande. Même s'il s'était préparé à tout depuis qu'il avait entrepris ce voyage, il n'en demeurait pas moins ébahi de se trouver sur les terres familiales, devisant avec un garçon de son sang qui ne soupçonnait pas son existence.

— C'est le nom que mon père a donné à cette forteresse dès son retour de Terre sainte, précisa Henri, en réponse au commentaire du chevalier.

À cet instant, trois autres jeunes, âgés de neuf à quatorze ans environ, sortirent du donjon qui servait d'habitation aux maîtres des lieux.

— Voici mes germains* Albert, Louis et Gautier, poursuivit Henri, sans se rendre compte de la pâleur extrême du visage de Philémon.

— Henri, mère vous réclame! déclara celui qui se prénommait Albert. Pour ma part, je retourne près de l'abbé Silon pour ma leçon.

— Notre maître d'armes nous attend! lança Gautier en tirant Louis par le bras.

En bons petits nobles arrogants, les trois gentilshommes filèrent sans saluer les visiteurs.

— Pardonnez mes frères, messires! les excusa Henri, continuant à jouer au maître des lieux. Veuillez me suivre!

Ouvrant la marche, il les dirigea vers un escalier de pierre montant au second palier du donjon où, comme dans la plupart des forteresses, se trouvait la pièce à vivre des châtelains.

Au moment de franchir la porte basse s'ouvrant dans la maçonnerie, Grégoire remarqua que son linteau affichait un bas-relief représentant une femme à la longue chevelure, se baignant dans une cuve. Aussitôt, il reconnut le portrait que l'on faisait généralement de

Mélusine. Ne prêtait-on pas à la fée la construction en une nuit de cette forteresse aux trois cent soixante-cinq fenêtres ? Il était donc permis d'y voir sa représentation. Il eut une pensée pour le grand maître de l'Ordre de l'Épée, lorsque celui-ci, retiré dans un coin sombre d'une grotte, le visage caché par la capuche noire de son mantel, lui avait confié sa mission.

« Je rapporterai le second anel à Jérusalem, maître, songea le chevalier. Mais est-ce dans ce château que je le trouverai ? »

Philémon, dans une sorte d'état second, ne remarqua pas la gravure. Il était encore bouleversé par sa découverte. D'un seul coup, il venait d'apprendre qu'il avait cinq demi-frères, tous héritiers légitimes de la seigneurie de Hierges. Quelle serait sa place dans cette fratrie ? Il se sentait totalement dépassé et entra dans la pièce à vivre l'esprit préoccupé de toutes ces questions.

Au fond de la salle sombre, une dame était en train de faire de la broderie en compagnie d'une fillette et d'une autre femme, probablement une de ses suivantes, songea Grégoire. Elles étaient regroupées autour d'une immense cheminée où flambait un tronc d'arbre entier.

— Mère ! lança Henri en s'approchant du trio. Voici deux voyageurs qui arrivent de Terre sainte. Messires Grégoire et Philémon d'Irfoy.

Philémon voulut répliquer qu'il s'appelait Hierges, mais son cousin lui décocha un regard si perçant que le page comprit qu'il valait mieux pour l'instant qu'il cèle sa véritable identité.

— Messires, je vous présente ma mère, Alise de Chiny, ma petite sœur Mélissandre, et dame Odeline de Meyraux, l'épouse de mon frère aîné, Heribrand.

Le ton du petit seigneur s'était fait moins insolent en présence de sa mère. Philémon avala sa salive de travers en reconnaissant, à côté de la châtelaine, la jeune femme qui s'était livrée à des pratiques de sorcellerie dans la forêt moins d'une heure plus tôt. Elle lui sourit, puis se concentra de nouveau sur son point de croix.

— D'Irfoy… Ce nom ne m'est pas inconnu, releva dame Alise, en fixant le page d'un air suspicieux.

Une brève lueur de colère traversa ses pupilles lorsqu'elle remarqua la ressemblance entre son propre fils et son visiteur.

— J'ai connu autrefois une dame d'Irfoy… marmonna-t-elle, sans se rendre compte que Philémon était suspendu à ses lèvres.

Elle s'interrompit, avant de changer de sujet :

— Soyez les bienvenus, messires.

Elle frappa dans ses mains, et une servante surgit par une petite porte que les visiteurs n'avaient pas remarquée.

— Sancie, conduis nos hôtes dans la tourelle, lui ordonna-t-elle, avant de reprendre à l'intention de ses visiteurs : vous y serez bien logés. Mon époux et mon aîné seront parmi nous pour la veillée, nous comptons sur votre présence au repas.

La suivante s'inclina devant dame Alise ; Grégoire et Philémon comprirent qu'on leur donnait congé.

Ils laissèrent Henri en compagnie des dames et suivirent la dénommée Sancie. Philémon était si abasourdi qu'il avançait comme dans un rêve, sans prêter attention à ce qui l'entourait.

M

Lorsque Sancie vint les prévenir que le repas était servi, les cousins achevaient de terminer une rapide toilette et de troquer leurs vêtements de voyage contre des tenues plus confortables. Philémon ne tenait plus en place ; il lui tardait tellement de faire la connaissance de son parent !

En parlant avec les serviteurs, les cousins avaient appris que Manassès et son fils aîné étaient allés prêter main-forte à leurs officiers chargés de percevoir les winages* sur la Meuse, auprès des marchands dont les produits étaient transportés par voie fluviale. Depuis de nombreuses semaines, un seigneur des environs leur contestait ce droit de péage et les dohaniers* étaient régulièrement pris à partie dans des querelles mortelles.

Les cousins retournèrent dans la pièce à vivre où une table avait été dressée. Philémon ne prêta aucune attention aux mets qui y étaient déjà proposés. Tous ses regards se concentrèrent sur un vieillard à l'épaisse chevelure blanche tombant sur ses épaules. Ainsi, c'était lui son père ! Manassès de Hierges. Un serviteur versa du vin dans une coupe et le vieil homme s'en empara pour la vider d'un trait en faisant claquer sa langue de satisfaction, tandis que l'échanson continuait de servir.

— Soyez les bienvenus dans ma maison, messires! Prenez place! lança le patriarche, en désignant de la main des sièges, tous situés du même côté de la table, de façon à ce que les serviteurs puissent se déplacer aisément devant les convives pour le service.

Les membres de la famille de Hierges étaient apparemment tous présents, nota Philémon, enfin ceux qu'on lui avait déjà présentés: sa demi-sœur Mélissandre, dame Alise et dame Odeline, ainsi que tous ses demi-frères, dont l'aîné Heribrand, un jeune homme d'environ vingt-deux ans au teint maladif.

Les deux voyageurs s'assirent sur les seuls sièges inoccupés: Grégoire, à la gauche de Manassès, et Philémon, à la droite de Heribrand, à côté de Henri. Aussitôt la conversation s'engagea. Les seigneurs de Hierges étaient désireux d'en apprendre plus sur la Terre sainte, et le chevalier d'Irfoy se chargea de satisfaire leur curiosité. Pour sa part, le nez plongé dans son écuelle, le page n'osait dire un mot. C'était tout juste s'il parvenait à respirer.

— Ah, Jérusalem! soupira Manassès. Savez-vous, messires, que j'en fus le connétable? Quelle belle époque! J'y ai commandé l'armée, recrutant et payant les mercenaires et y exerçant la justice militaire au nom de la reine. Durant sept ans, je fus l'officier le plus important du royaume, c'était sous la régence de ma cousine Mélisende de Jérusalem...

— Cousine ! s'exclama Philémon, desserrant les dents pour la première fois.

— Ah, je vous croyais muet ! le railla Heribrand, en se penchant vers lui.

Entre-temps, Manassès poursuivait :

— Je fus appelé à Jérusalem par Mélisende, dont l'époux, le roi Foulques, était au plus mal. Il mourut un an après mon arrivée. Malheureusement, une dizaine d'années plus tard, leur fils, manipulé par les barons, s'opposa à sa mère. Ma cousine dut lui céder le pouvoir et quitter Jérusalem. Quant au fils, il m'assiégea dans le château Mirabel, m'obligeant à me rendre puis à partir à mon tour, en faisant promesse de ne jamais revenir dans le royaume latin. Quel triste sire que celui-là !

Il tendit sa coupe à l'échanson qui la lui remplit pour la troisième fois. Il la porta à ses lèvres en lançant d'une voix forte :

— À Jérusalem !

Le vieil homme la vida encore une fois d'un trait, en laissant des filets de vin rouge tacher sa longue barbe blanche. Ses fils et ses hôtes n'avaient pas eu le temps de faire remplir leur propre gobelet pour l'accompagner.

Le repas se poursuivit, Manassès buvant de plus en plus. À un moment, il piqua du nez dans son écuelle et s'endormit, ivre mort. Deux valets corpulents l'emportèrent rapidement, sans que personne de la famille bouge. À la réaction des commensaux, Philémon comprit que c'était une scène courante au château. Le page était mal à l'aise. Jamais il n'aurait pu imaginer que les retrouvailles avec son père se dérouleraient de cette façon.

— Et vous, messires, quel bon vent vous amène à Hierges ? demanda Heribrand, s'adressant plus particulièrement à Grégoire.

Philémon releva la tête et ses yeux rencontrèrent ceux de son cousin.

— Nous sommes en route pour un petit prieuré hospitalier, répondit Grégoire, sans s'engager.

Heribrand fronça les sourcils.

— Je n'ai jamais entendu dire que les Hospitaliers possédaient quoi que ce soit dans la région.

Puis, songeant que la mission dont ses invités étaient chargés était probablement secrète, il n'insista pas.

Le repas se termina. Les serviteurs débarrassèrent la table, tandis que la soirée se poursuivit, paisible, au son du luth de dame Odeline. Depuis son entrée dans la pièce à vivre, Philémon avait remarqué que dame Alise de Chiny, la maîtresse des lieux, ne l'avait pas quitté des yeux. À un moment, elle se rapprocha de lui et lui murmura sur un ton transpirant la haine :

— Êtes-vous tous deux apparentés à cette Helvis d'Irfoy, cette gouge qui a bâfré à ma table et s'est vautrée dans mon lit ?

Philémon sursauta. Il ne sut que répondre et ses yeux s'emplirent de larmes sous l'insulte.

Dame Alise et dame Odeline quittèrent rapidement la pièce, suivies de la jeune Mélissandre qui, au contraire de sa mère, leur adressa un charmant sourire.

12

Si les propos injurieux de dame Alise avaient été entendus par ses fils, ces derniers ne semblèrent y accorder aucune importance. Ils continuèrent de presser de questions les deux cousins pour en apprendre plus sur leur vie à Jérusalem, jusqu'à ce que Heribrand décrète l'heure du coucher.

Grégoire et Philémon les saluèrent et reprirent le chemin de la tourelle où se trouvaient leurs appartements.

— Je ne comprends pas l'hostilité de dame Alise, grogna Philémon qui répéta à son cousin les durs propos que la châtelaine lui avait tenus.

— Hum ! Tu es un enfant… euh… naturel, Philémon ! lui répondit son cousin. Elle n'est pas idiote. Elle a remarqué ta frappante ressemblance avec ses fils, avec Henri surtout. Elle se voit contrainte de t'accueillir chez elle, comme le commandent les lois de l'hospitalité, mais elle n'est pas obligée de t'aimer.

— Moi non plus, je n'aime pas ce que je vois ici! marmonna le page. Mon père est un soûlard, mes frères sont outrecuidants, les dames me méprisent…

— Tu exagères! Tu es déçu… je le comprends. Toutefois, ces gens sont ta famille. Je suis sûr que ton père te fera bonne figure quand il apprendra qui tu es. Tu ne seras jamais l'héritier de ses terres, mais c'est toi qu'il a choisi pour recevoir son plus grand trésor… l'anneau de Mélusine.

— Co… comment le sais-tu? bafouilla Philémon, les yeux écarquillés de surprise.

Grégoire se mordit les lèvres. « Argh! J'ai bu plus de vin que je ne l'aurais dû! Cela m'a embrumé l'esprit. Voilà que j'en dévoile plus que je le devrais. »

— Ma mère m'a confié certains détails de ta quête, répondit le chevalier.

— Tu ne me l'as jamais dit! lui reprocha Philémon.

— J'étais persuadé que tu le savais!

Puis, pour recentrer le sujet, car il ne comptait pas s'enferrer dans d'autres mensonges, Grégoire déclara:

— As-tu remarqué le bas-relief représentant la fée sur le linteau de la porte du donjon?

— Non! répondit le page, faisant toujours la tête.

Il ôta ses chausses et son bliaut, puis en chemise, se glissa dans le lit mis à sa disposition. Grégoire se dévêtit également, éteignit les cires et se coucha à son tour.

Le silence les enveloppa quelques minutes, mais le chevalier le rompit brusquement.

— En analysant les propos que ton père a tenus au début de la veillée, j'ai eu la confirmation d'une information qui va t'intéresser…

Comme Philémon ne répondait pas, il enchaîna :

— Ta grand-mère paternelle, Hodierne de Rethel, était la fille du troisième roi chrétien de Jérusalem[1]. Ton père a dit que c'est sa cousine qui l'avait appelé en Terre sainte pour l'aider à défendre le royaume. Eh bien, cette Mélisende était la fille aînée de ce roi, mais aussi la sœur de Hodierne et d'Ivète, celle qui a veillé sur la princesse Sibylle au couvent Saint-Lazare de Béthanie.

Le page ne broncha pas, mais Grégoire l'entendit respirer plus rapidement au fur et à mesure que cette déclaration pénétrait sa conscience et le forçait à en analyser ses conséquences.

— Tu… tu veux dire que… que je suis donc… apparenté à la princesse Sibylle et à son frère, le roi lépreux Baudouin ?

— Exactement. Vous avez un ancêtre commun.

Encore une fois, ce fut le silence de Philémon qui répondit à l'affirmation de Grégoire. Puis, le page le rompit, haletant.

— Cet ancêtre commun, est-ce un des fils de Mélusine ?

— J'ai déjà bien soupesé la question. Cet ancêtre descendrait effectivement de Raimonet, le dernier

---

1. Voir les liens de Philémon, Sibylle et Baudouin le roi lépreux à la fin de ce tome.

enfant de la fée, qui fut comte de Forez et de Hierges, même si je n'en ai jamais eu ni preuve ni confirmation. Ton père pourra sans doute t'en dire plus.

De nouveau, un long silence succéda aux paroles du chevalier d'Irfoy, avant que Philémon ne reprenne la parole.

— Grégoire !

— Hmm ?

— Raconte-moi ce qui est arrivé aux autres fils de Mélusine… Je veux savoir toute l'histoire.

Le chevalier esquissa un sourire que le page ne put voir, car la lumière des flammes dans l'âtre n'était pas suffisante. Grégoire avait supposé, à juste raison, que la reprise du récit saurait sortir Philémon de sa bouderie.

— Où en étais-je ? Ah oui ! Antoine et Renaud soumirent tous leurs ennemis et devinrent de puissants seigneurs dans leurs nouveaux pays, le Luxembourg et la Bohême. Quant à Mélusine et Raimondin, ils continuèrent à faire prospérer leurs terres. Entre-temps, leur sixième fils, Geoffroy Grande-Dent devenait à son tour un fier chevalier, fort et vif.

Un jour, des gens du pays guérandais vinrent supplier le jeune seigneur de les défendre. Ils prétendaient qu'un redoutable géant appelé Guédon ravageait leur région, exigeant des tributs de plus en plus lourds qui les acculaient à la misère. Beaucoup de paysans s'étaient réfugiés dans des cités aussi lointaines que La Rochelle, tant ils avaient peur.

— Je jure que je vaincrai ce terrible fléau qui vous afflige, braves gens! s'emporta Geoffroy en entendant les horreurs décrites par les vilains.

Raimondin n'en était pas pareillement convaincu. À quatorze ans, son fils était aussi vigoureux qu'un homme mûr, mais le seigneur de Lusignan doutait encore de ses forces.

— Tu es d'une stature impressionnante, certes. Mais un géant, quand même! Réfléchis bien, mon fils. Guédon n'a-t-il point la réputation d'être d'une taille monstrueuse?

— Que l'on m'arme sur-le-champ! tempêta Geoffroy, en houspillant son écuyer et les pages à son service, sans écouter les avertissements paternels.

Lorsque cela fut fait, le fier adolescent sauta sur sa monture et s'éloigna de Lusignan en compagnie de neuf compagnons. Il ne se retourna pas une fois pour saluer son père.

À peine Geoffroy disparaissait-il au galop de son cheval dans la forêt de Coulombiers qu'apparut, au bout du chemin, Fromont, le septième fils de la fée. Celui-là allait à pied. Fromont était un jeune homme doté d'une très grande intelligence, c'était aussi un savant, mais surtout un adolescent fort religieux. Il passait tout son temps en prières auprès des moines de l'abbaye voisine de Maillezais. Ce matin-là, Fromont, âgé de treize ans, avait pris une grande décision quant à son avenir. Il serait moine. Il se hâtait donc de rentrer à Lusignan pour présenter sa requête.

— Père! déclara-t-il aussitôt que Raimondin l'accueillit dans la haute-cour de Lusignan. Permettez-moi de revêtir l'habit des moines de Maillezais...

— Comment! s'exclama Raimondin, ému et chagriné à la fois. Ne peux-tu prendre exemple sur tes frères? Vois comment Urian et Guyon règnent sans partage sur des contrées lointaines, comment Antoine et Renaud sont devenus de puissants et nobles seigneurs. Et toi! Tu veux te faire moine? Ce n'est pas possible. Je ne permettrai pas qu'une telle chose arrive. Je ferai de toi un chevalier, comme tes frères.

— Père! Jamais je ne serai chevalier. Jamais je ne porterai les armes. Je veux consacrer ma vie à prier, pour vous, pour ma mère et pour mes frères. Je vous en supplie, laissez-moi devenir moine.

Voyant qu'il ne pouvait convaincre son fils de renoncer à la vie religieuse, Raimondin n'entrevit qu'une solution, s'en remettre à Mélusine. Mais la fée était absente de Lusignan, occupée qu'elle était à bâtir deux tours jumelles dans la ville de Niort. Il appela un messager et le chargea d'un vélin par lequel il prévenait sa femme de la décision de Fromont.

Le cavalier se hâta et remit sa missive à la fée en début d'après-midi. Raimondin lui écrivait qu'il lui laissait le soin de décider du sort de Fromont. Qu'elle dise si elle acceptait ou non la tonsure pour leur septième fils.

— Retourne à Lusignan, répondit Mélusine au cavalier. Et dis à mon époux que sa volonté sera la mienne.

Le messager revint à Lusignan à la nuit tombée et transmit la réponse de la dame de Lusignan. Aussitôt Raimondin fit appeler son fils.

— Fromont, j'ai demandé son avis à ta mère. Elle s'en remet à moi pour prendre la meilleure décision quant à ton avenir. Ainsi donc mon fils, puisque tel est ton désir, tu seras moine. Mais de grâce, choisis un autre monastère. Les frères de Maillezais sont de grossiers personnages, vulgaires et débauchés. Je t'en conjure, rends-toi dans celui de Marmoutier, en Touraine, ou mieux à Poitiers. Tiens, pourquoi pas à Chartres ou à Paris? Je pourrais faire de toi un chanoine. Ne t'inquiète pas, je connais bien le pape, il te trouvera un couvent digne de ton rang. Bientôt, tu deviendras un puissant prélat, et qui sait, un jour peut-être, pape!

— Père! Je ne veux rien de plus qu'être moine à Maillezais! C'est ce que j'ai choisi et je ne veux pas d'autre place que celle-ci.

Le visage de Raimondin pâlit, mais il ne voulut pas revenir sur sa parole. Si Fromont avait choisi Maillezais, Maillezais il aurait.

— Très bien! soupira-t-il. Puisque c'est ce que tu veux. Tu prieras pour nous.

— C'est une promesse, père! Chaque jour, je prierai pour vous, ma mère et mes frères.

Le lendemain matin, après avoir embrassé son père et ses cadets, Fromont quitta Lusignan pour le monastère où il avait décidé de se retirer.

Deux jours plus tard, en présence de Mélusine, de ses frères Orrible, Thierry et Raimonet, mais aussi de Bertrand et Blanche de Poitiers, ainsi que de nombreux vassaux et nobles des contrées alentour, Fromont revêtit la bure lors d'une cérémonie solennelle.

Quelques semaines passèrent. Les Lusignan séjournaient dans leur castel de Vouvant lorsqu'un samedi soir, un visiteur se fit annoncer. Il s'agissait de Hugues de Forez, le frère de Raimondin.

Les deux hommes devisèrent longuement du destin des fils de Mélusine. Raimondin était tout heureux de décrire les exploits de ses garçons. Par leurs prouesses et leur héroïsme, Urian était devenu roi de Chypre et Guyon roi d'Arménie. Il raconta ce que ces derniers lui avaient révélé dans leur récent courrier, parlant de la beauté de ces terres étrangères et de leurs voyages dans des pays lointains où foisonnaient des espèces inconnues et gigantesques appelées éléphant et girafe. Il vanta aussi les exploits d'Antoine et de Renaud, puis expliqua pourquoi Geoffroy était parti défier Guédon, le géant du pays guérandais. Enfin, il souligna avec fierté la grande piété et la foi de Fromont, qui venait de se faire moine.

Ce soir-là, Hugues de Forez demanda encore où se trouvait Mélusine et ce qu'elle faisait. Et une fois de plus, Raimondin dut lui avouer qu'il n'en savait rien. Comme à l'accoutumée, Hugues le railla.

Lorsque les deux frères se séparèrent pour la nuit, Raimondin tarda à trouver le sommeil. Les questions et les suspicions de son aîné le torturaient plus qu'il ne voulait l'avouer. Les yeux fermés, il revit la Fontaine-de-Soif, telle qu'elle était à la minute même où il avait rencontré Mélusine ; il imagina les étoiles où son oncle Aymeri de Poitiers avait lu sa propre mort et l'avenir qui désormais était le sien. Mais brusquement surgit dans ses pensées le terrible et velu sanglier noir, l'épieu qu'il abattit sur la bête, son cri et ses pleurs devant la fatalité, dans le silence de la forêt.

Raimondin se réveilla en sursaut, couvert de sueur. Toutes ses pensées s'entremêlaient, il eut l'impression de devenir fou. Quelque chose d'irrésistible, de fatal, le poussa à se lever. En toute hâte, il s'habilla, puis enfila sa cotte de mailles et se saisit d'une bonne épée. Il ne parvenait plus à maîtriser ses gestes, à se forcer à rester dans cette chambre. Il devait savoir.

Emporté par une sorte de frénésie, il tira le verrou de sa porte, en franchit le seuil, referma derrière lui et descendit vers la salle commune qu'il traversa comme dans un rêve, rejoignant le bas de la tour qui menait ailleurs. Mais où ailleurs, vers qui, vers quoi ? Il l'ignorait. Il n'avait plus qu'un seul but : rejoindre Mélusine où qu'elle soit, quoi qu'elle fasse.

En face de lui se dressait maintenant une tourelle qui lui était interdite depuis toujours. Arrivé devant la petite porte basse, il la défonça violemment d'un coup de pied à la hauteur du loquet. Un escalier en colimaçon se dressait là. Il se jeta dans les marches. Son cœur battait à se rompre dans sa poitrine. Il eut l'impression que la montée* s'allongeait, que les degrés se faisaient de plus en plus hauts, difficiles à grimper, comme pour ralentir sa course et l'empêcher de commettre l'irréparable. Personne n'était jamais venu dans cette tourelle, ni lui ni ses fils, personne sauf elle... sauf qui?... Un amant?... Il essaya de s'en convaincre, même si au fond de lui, sa petite voix intérieure lui disait qu'il se trompait.

Tout à coup, il s'arrêta et releva la tête. Si ce n'était un amant, mais le diable que Mélusine allait retrouver tous les samedis soir? Si c'était le démon, l'Ennemi, Satan qui la convoquait à son sabbat? Une puissante douleur le saisit. Toutefois, il se rendit compte qu'elle était moins violente que celle de la jalousie, moins féroce aussi que sa honte devant ce qu'il faisait. Si c'était le diable, il était sûr de le vaincre, puisqu'il lutterait pour la sauver, elle. Il avait le bon droit de son côté. Il la retrouverait, la serrerait dans ses bras, elle le remercierait. En combattant pour Mélusine, il la délivrerait et la protégerait à jamais. Emporté par sa fougue, il sourit en s'élançant de nouveau à l'assaut de cet escalier qui n'en finissait pas. Mais tout à coup, son serment lui revint en mémoire. Il avait juré de ne jamais chercher à savoir ce qu'elle faisait la nuit de chaque samedi, du coucher du soleil à l'aurore du jour suivant. Il s'immobilisa et dut s'appuyer contre le mur. Son cœur battait si vite qu'il avait l'impression de l'entendre résonner entre les épaisses murailles. Il étouffait. Que faisait-il de cette confiance qu'il avait jurée à sa femme?

Aussi brusquement qu'il s'était jeté hors de sa chambre, il recula. Il se sentait pétrifié, glacé comme ces pierres auxquelles il désirait maintenant se fondre. Une dernière marche, fort haute, se dressait entre lui et son honneur, entre lui et sa promesse rompue, entre lui et Mélusine. Il hésita. Comment sa dame avait-elle réussi à la franchir? Par quelle magie, par quelle diablerie? Il leva la tête. Au-dessus de cette marche, il en vit soudain une autre, puis une autre encore, une troisième et ainsi de suite, qui se tordaient en colimaçon, toujours plus haut. Cette montée n'en finirait-elle donc jamais? Comment était-il possible qu'il ne se soit douté de rien en regardant la tourelle de l'extérieur? Tandis qu'il cherchait à percer le secret de cette structure de pierre, une autre partie de son esprit lui remémorait les paroles brutales de son frère. S'agrippant à la muraille, il parvint par un effort surhumain à se hisser sur la très haute marche qui lui barrait le passage. Puis, avisant à la hauteur de son épaule un rat-de-cave allumé, il s'en saisit pour éclairer son ascension. Les degrés suivants furent beaucoup plus faciles à gravir.

Il arriva finalement devant une porte de bois, bardée de fer sur toute sa largeur. Les ferrures se prolongeaient dans le mur pour mieux sceller l'ouverture. Il était impossible de l'ouvrir, de l'enfoncer, ni de la sortir de ses gonds.

En vain, il chercha une serrure. Pas de doute, il n'y avait que le Malin pour concevoir un tel portail. Il n'y avait plus une seconde à perdre. Il ne pouvait reculer. Voir ce qu'il y avait de l'autre côté, voilà ce à quoi Raimondin aspirait désormais. Il promena la lumière de sa chandelle sur toute la longueur et la largeur de la porte, cherchant une façon de l'ouvrir. Tout à coup, entre deux madriers, il vit un mince interstice. Il tira son coustel et y glissa la lame de façon à rogner le bois. Mais le bruit du frottement le fit cesser aussitôt, le souffle court. Il attendit une ou deux secondes, puis recommença à creuser le bois, en pesant de toutes ses forces sur l'arme qui entra peu à peu dans la fente pour l'agrandir.

Grégoire s'interrompit, pensant que Philémon s'était endormi.

— Qu'est-il arrivé ensuite ? demanda le page bien éveillé.

— Je poursuivrai mon récit demain, sinon nous allons y passer la nuit, répondit le chevalier d'Irfoy.

— J'y suis disposé ! dit l'enfant.

— Eh bien, pas moi ! Je suis fatigué. Demain, peut-être devras-tu parler avec ton père. Si Manassès te convoque, il vaut mieux que tu ne tombes pas de sommeil devant lui et tes frères.

— Je ne suis pas tout à fait convaincu de vouloir rester ici, bougonna Philémon. D'ailleurs, rien ne me dit que mon père acceptera que je demeure à Hierges. Toi, que comptes-tu faire dans les jours à venir ?

— Je n'en sais rien. Nous en reparlerons. Dors maintenant.

Philémon tenta encore deux ou trois questions, mais Grégoire se refusa à lui répondre pour ne pas prolonger leur discussion nocturne. Ils restèrent allongés dans le noir et dans le silence, jusqu'à ce que le sommeil les emporte l'un et l'autre.

13

Ce fut d'abord un vague murmure qui perturba le sommeil profond de Philémon, puis, petit à petit, il perçut plus nettement la voix pure dont le chant s'élevait au cœur de la nuit. De prime abord, il crut à un rêve. Malgré tout, il ouvrit complètement les paupières et resta l'oreille tendue. Jamais il n'aurait pu imaginer qu'une tonalité aussi sublime puisse jaillir d'une gorge humaine. Rapidement, les ronflements de Grégoire l'indisposèrent. Il se leva, s'habilla en toute hâte à la lumière diffuse émanant de l'âtre, et sortit de la chambre pour rejoindre la haute-cour. La mélodie l'enveloppa.

« La chanteresse est toute proche », songea-t-il, car il n'avait aucun doute, il s'agissait bien d'une voix féminine.

Il laissa à ses yeux le temps de s'habituer à la nuit. Heureusement, la lune était pleine et éclairait suffisamment les lieux pour qu'il puisse voir où il mettait les pieds. Pendant de longues secondes, il explora les environs du regard jusqu'à ce qu'il découvre la femme de son frère aîné, Odeline de Meyraux, assise sur la margelle du puits. La dame cessa aussitôt de chanter et se tourna vers lui. Elle se leva d'un mouvement presque nonchalant, la tête légèrement penchée, comme en proie à une rêverie un peu triste. Elle s'avança, faisant onduler autour de son corps les plis souples de sa longue robe vert fougère bordée d'hermine que ne cachait pas entièrement un magnifique mantel de brocart de même couleur. Son épaisse chevelure noire disparaissait sous une coiffe surmontée d'une couronne dorée retenant un voile opale. Philémon eut le souffle coupé par autant de grâce et de beauté.

— Qu'as-tu donc, enfant? l'interrogea la dame, ses grands yeux vert émeraude rivés aux siens. Je sens bien qu'un lourd secret te ronge. Confie-moi tes chagrins.

Le page avala sa salive. L'impression que dame Odeline pouvait fouiller en lui jusqu'à son âme le tint sur ses gardes.

Elle esquissa un sourire.

— Tu sais, damoiseau, dans ce pays éloigné de tout, la croyance que certaines personnes peuvent être dotées de pouvoirs mystérieux et maléfiques est très ancrée en chacun de nous. Il y a des signes qui ne trompent pas: un grain de beauté, une tache de vin, une marque de naissance…

Sans en avoir conscience, Philémon porta la main à sa nuque, à l'endroit où se trouvait le signe du serpent sur son cuir chevelu.

— Êtes-vous... une... une sorcière ? balbutia-t-il, en faisant un pas vers l'arrière.

Un léger ricanement fusa entre les lèvres de la jeune femme.

— Suis-je ou ne suis-je pas une macrale, comme on dit ici dans les Ardennes ? Je te laisse seul juge, damoiseau. À ton avis, puis-je connaître l'avenir, modifier le cours du temps, rendre amoureux ou haineux, provoquer la maladie des hommes et des bêtes, ou... tuer à distance ?

Philémon sentit un courant glacé descendre le long de son échine. Il se demanda pourquoi la femme de Heribrand se plaisait ainsi à le provoquer. Sans lui répondre, il tourna les talons et se hâta de regagner l'abri, tout relatif, de la tourelle. Longtemps, le chant de dame Odeline accompagna sa nuit, et il ne put se rendormir.

ℳ

Dès le lever du soleil, il se précipita de nouveau à l'extérieur et se dirigea vers l'écurie pour prendre des nouvelles d'Étoile filante. Les palefreniers de Hierges semblaient compétents, mais il n'aimait pas l'idée de laisser son alezan entre les mains de valets. Il s'assura que sa monture avait suffisamment de nourriture et d'eau et il se mit à l'étriller avec vigueur. Il était occupé à bouchonner la jument lorsqu'un serviteur vint le prévenir que le seigneur voulait lui parler. Philémon soupira de dépit, puis confia la poursuite des soins d'Étoile filante à un page.

«Que me veut-il donc?» s'interrogea-t-il, en entrant dans la pièce commune au premier étage du donjon, juste au-dessus de la salle d'armes.

Aussitôt, il vit son cousin Grégoire, assis sur un banc, en face du châtelain qui était enfoncé dans un grand fauteuil, devant l'immense cheminée. Les épaules recouvertes d'une peau d'ours, Manassès de Hierges semblait totalement remis de ses excès de la veille, ce qui étonna le page. Les rares fois à Jérusalem où il avait été le témoin de beuverie, les soûlards avaient affiché des airs beaucoup plus défaits au réveil.

— Messire, vous m'avez mandé? déclara Philémon, courtois, en s'avançant vers son père.

Le seigneur lui désigna un siège bas, à ses pieds.

— Tu es un d'Irfoy, toi aussi, n'est-ce pas? lança d'emblée Manassès.

Philémon se figea, ne sachant que répondre. Il chercha le regard de son cousin qui lui fit un petit signe de la tête pour l'encourager à parler. Le page comprit que le moment de vérité était venu. Apparemment, son père avait déjà interrogé Grégoire sur ses origines, c'était maintenant à son tour de répondre à quelques questions personnelles.

— De Hierges, monseigneur! corrigea le page.

La barbe fournie de Manassès tressauta légèrement, tandis que ses lèvres s'étiraient dans un sourire vite contenu.

— Tu as quel âge, damoiseau?

— Douze ans, messire.

Son père le détailla des pieds à la tête.

— Hum! J'ai connu autrefois une dame d'Irfoy... Helvis d'Irfoy.

Son ton s'était adouci lorsqu'il avait prononcé le nom de son ancienne maîtresse, et son regard sembla se perdre dans de lointains souvenirs que Philémon supposa heureux.

— C'était ma mère, confirma le page, la gorge nouée et la bouche sèche.

Manassès hocha la tête à quelques reprises, en silence. Ses yeux sombres continuaient de scruter Philémon.

— Tu lui ressembles... Je me souviens d'un enfançon braillard, toujours accroché à son sein. Ce devait être toi. Comme le temps passe. Est-ce elle qui t'envoie?

— Ma... mère est morte, messire.

— Oh! J'en suis sincèrement navré, mon garçon.

— Moi aussi... monseigneur!

— Et ce maître arbalétrier qu'elle a épousé? Un certain Gauvin, il me semble bien.

— Il est tombé devant Damiette, en Égypte, monseigneur, un an après le décès de ma mère.

— Ah, très bien! C'était un solide gaillard, un très bon soldat, un homme d'honneur.

Le «très bien» de Manassès déchira le cœur de Philémon, même s'il comprenait que son père rendait ainsi un humble hommage au maître arbalétrier qui avait fait son devoir jusqu'à la mort.

— Mais dis-moi, qui t'a si bien élevé?

— Ma tante Galiotte d'Irfoy et mon maître, le chevalier hospitalier Géraud…

— Approche! lui ordonna son père.

Philémon se leva avec lenteur et se dressa devant Manassès.

— Penche la tête!

Le page s'exécuta. Une main ferme fouilla son épaisse chevelure, sur la nuque, pour s'arrêter à l'endroit où figurait la marque du serpent. Le seigneur de Hierges éclata d'un rire guttural et attira Philémon contre sa poitrine pour le serrer maladroitement.

— Mon fillot! Te voilà de retour! Je n'osais plus l'espérer. Recule un peu que je te voie mieux!

Philémon, éberlué, obtempéra.

— Cette tache… tu sais ce qu'elle signifie? s'enquit d'un ton ferme le patriarche, pour chasser toute émotion.

— Je crois que c'est la marque de Mélusine, messire! bredouilla l'adolescent.

— Je vois que ta mère t'a transmis une partie de ses connaissances. Désormais, il me revient de te douer*…

— Je ne veux ni terres ni richesses, messire! balbutia Philémon.

— Tu n'en auras point! Tes frères sont tous des enfants légitimes. Heribrand, l'aîné, deviendra seigneur de Hierges. Les autres se débrouilleront, je n'ai aucune inquiétude pour eux. Tiens, Albert fera un excellent prêtre! Toi, tu es un bast, et en cette qualité, tu ne peux prétendre à un fief. Ta tante et ton maître ne te l'ont donc pas enseigné?

Philémon baissa les yeux et retint ses larmes. Se faire rappeler aussi brusquement son état de bâtard ne lui était guère agréable.

— Allez, ne sois pas pressé, garz*. Tu obtiendras mieux que des biens matériels… reprit Manassès en lui frottant gentiment la tête.

— L'anel! murmura l'enfant.

— Silence, fils! lui intima le seigneur. Chaque chose en son temps. Dès maintenant, tu entres à mon service. Sais-tu te battre?

— Maître Géraud m'a appris, et Grégoire a poursuivi mon entraînement, messire.

— Bien! Heribrand continuera ton enseignement. Je commence à me faire vieux pour ce genre d'exercices, mais je superviserai ta formation.

— Il en sera fait selon votre bon vouloir, mess…

— Tu peux m'appeler père! Et mes fils et filles seront tes frères et sœurs.

— Mais…

— Il n'y a pas de mais! Je suis le maître, je décide de ce qui se passe dans ma maison.

Le regard de Philémon rencontra celui de Grégoire. Le chevalier grimaçait. En son for intérieur, il prévoyait de grands problèmes au sein de cette fratrie soudainement augmentée d'un membre tombé du ciel et qui surtout n'était pas du même lit.

— Mess… Père, puis-je vous poser une question? demanda Philémon d'un ton peu assuré.

— Tu peux la poser, je ne suis pas obligé d'y répondre! ricana le patriarche.

— C'est à propos de ma… de ma mère… Pourquoi ?…

— Pourquoi je ne l'ai pas épousée ? l'interrompt Manassès.

Le seigneur garda le silence quelques secondes, avant de poursuivre :

— Lorsque je suis parti pour Jérusalem, j'étais un seigneur peu fortuné, et veuf de surcroît, qui n'avait que deux héritières, Fadie et Audierne. Ce qui revenait à dire que mes terres passeraient un jour ou l'autre dans les mains d'une autre famille par le mariage de mes filles. Une fois à Jérusalem, ma cousine Mélisende me nomma connétable, ce qui m'assura un certain statut, mais peu de richesses. Je contractai donc mariage avec Alvis de Ramla, veuve de Barisan d'Ibelin, membre de l'une des plus influentes et riches familles du royaume latin. Cependant, dame Alvis n'était plus en âge de me donner d'enfants, si bien que le pape consentit à annuler nos épousailles. Je rentrai donc à Hierges, plus riche en pierreries et en or, mais toujours aussi peu fortuné en terres et en titres. Peu après mon retour, j'unis ma destinée à dame Alise de Chiny et bientôt le sort me favorisa avec la naissance d'un premier héritier mâle, Heribrand. Peu après la venue au monde du second, Henri, je rencontrai pour la première fois Helvis d'Irfoy, une sœur de lait de ma nouvelle épouse, que celle-ci venait de faire entrer à son service pour s'occuper de nos enfants. Nous avons été enclins à l'amour. Malheureusement, j'étais déjà marié. Bien sûr, j'aurais pu répudier Alise, mais…

« Vous aimiez sans doute plus les terres que dame de Chiny vous avait apportées en dot que ma mère qui n'était pas de famille nantie », songea Philémon, sans pour autant oser formuler ses pensées à voix haute.

— Puis un jour, Alise m'annonça sa troisième grossesse, qui allait me donner Albert. Toutefois, elle me mit aussi devant un autre fait accompli. Sans me consulter, et avec le concours de ses trois frères, elle venait de marier Helvis à messire Gauvin, un de leurs vassaux. J'en fus fort affligé. Tu étais né environ dix-huit mois plus tôt.

Philémon se contenta de secouer la tête. Il n'était pas convaincu du chagrin exprimé par son père. Comme pour beaucoup de seigneurs, les intérêts financiers et la possession de terres primaient sur les affaires de cœur. Le garçon ne pouvait lui en vouloir. Qui sait s'il ne serait pas placé lui-même devant un tel dilemme dans l'avenir ?

— J'aurais pu garder ta mère près de moi et faire comme si de rien n'était, mais on m'a vite mis en garde : si Helvis restait, je m'exposais à de violentes représailles de la part des frères d'Alise. Je n'avais plus qu'une seule solution, envoyer le couple en Terre sainte, et toi aussi, fillot, pour ta sécurité.

— Dame Alise connaît donc tous les détails de cette histoire !

— Oui.

Philémon comprenait mieux maintenant l'hostilité de la châtelaine à son égard.

— Et vos fils, sont-ils au courant ?

— Pas encore, mais j'ai prévu de les informer tout de suite après notre rencontre.

— Je doute qu'ils soient heureux de se découvrir un frère inconnu ! soupira le page.

— Leur avis ne compte pas, garz. Tu demeureras ici tant que Dieu me prêtera vie. Tu resteras parce qu'un grand destin t'attend. Tu as été choisi par Mélusine…

— Aucun autre de vos enfants… de mes frères et sœurs ne porte la marque ? s'étonna Philémon.

— Non. Tu es le seul, l'assura son père. C'est pour cela que tu es si précieux. Et c'est pourquoi j'ai préféré t'envoyer au loin plutôt que de risquer qu'un membre de la famille Chiny s'en prenne à toi. Tu es encore bien jeune, mais désormais, je te protégerai.

— Mais si… s'il vous arrivait malheur, je serai exposé à quelque mauvais coup, marmonna le page, affolé à l'idée qu'on puisse une fois encore attenter à sa vie comme à Jérusalem.

— C'est pourquoi le chevalier d'Irfoy restera parmi nous, il sera ton protecteur. Il a su s'acquitter de cette tâche avec talent depuis votre départ du royaume latin, il assumera la même charge ici, à Hierges. Et ce, jusqu'à ce que tu sois un homme, apte à te défendre par toi-même. Dorénavant, tu serviras d'écuyer à messire Grégoire et à ton frère Heribrand. D'ailleurs, c'est ce que ta tante et messire Géraud me conjurent de faire dans ce message que ton cousin m'a remis il y a quelques minutes…

Manassès agita devant lui un parchemin que Philémon n'avait pas remarqué, car son père l'avait glissé entre sa cuisse et le bois du fauteuil.

Grégoire se tordit la bouche en une affreuse grimace. S'il avait eu d'autres projets, il devait maintenant y renoncer.

Il songea qu'il valait mieux qu'il demeure près de son cousin afin de convaincre Philémon de lui remettre le second anneau ou de l'apporter à Jérusalem quand Manassès lui transmettrait son héritage. Alors, le chevalier se força à sourire et à hocher la tête pour manifester son approbation.

14

L'après-midi même, Manassès de Hierges réunit sa famille pour lui révéler qu'elle comptait désormais un membre de plus. Cette annonce, assortie de l'assurance que le jeune bâtard ne bénéficierait d'aucun privilège, fut bien acceptée par les enfants du seigneur. La fratrie était nombreuse et l'héritage ne courait aucun risque. Alise de Chiny grimaça, mais n'ayant pas voix au chapitre, elle ravala les mots rageurs qui lui brûlaient les lèvres. Par contre, le patriarche ne révéla rien des liens de Philémon avec la fée Mélusine. C'était un secret entre lui et son bâtard.

Après cette présentation, chacun retourna vaquer à ses occupations. Albert courut chez l'abbé Silon qui le préparait à entrer dans les ordres ; Louis et Gautier entraînèrent Philémon chez leur maître d'armes, qui les formait à devenir chevaliers. Leur surprise fut de taille lorsqu'ils constatèrent que leur demi-frère était déjà une fine lame pour son âge, et qu'il savait manier une arme de fer, alors qu'eux-mêmes continuaient à s'exercer à l'épée de bois. Quant à Grégoire, il accompagna Heribrand à l'armurerie pour y inspecter les armes. Les seigneurs et les chevaliers passaient beaucoup de temps à entretenir leur équipement, la guerre et la chasse étant leurs principales occupations.

Après la leçon, Philémon retourna à l'écurie pour y poursuivre les tâches dévolues aux écuyers. Il y trouva un valet qui s'affairait à débarrasser les stalles du crottin. En silence, l'adolescent se mit au travail en s'occupant de la monture de Grégoire. Au bout d'un moment, le palefrenier lui adressa la parole :

— Je vous ai vu cette nuit, messire, dans la haute-cour, près du puits…

Philémon fronça les sourcils, mais s'abstint de répondre, attendant la suite.

— Méfiez-vous…

Cette fois, Philémon se tourna vers le bavard et l'interrogea avec brusquerie. Les indiscrétions des domestiques l'indisposaient, de plus il savait que les médisances sur sa bâtardise seraient nombreuses. Bientôt toute la seigneurie serait au courant de son statut au sein de cette famille.

— Que signifie cette mise en garde ?

— J'ai ouï dire que dame Odeline peut imposer sa volonté aux nutons…

— Aux nutons ? répéta le garçon, qui ne connaissait pas le terme.

— Les esprits des bois et de la vallée. Ils exécutent ses moindres ordres. La nuit, ils se changent en petites flammes bleues et viennent danser sur les étangs pour attirer les périgrins* et les noyer. Parfois, on les voit chanter près des marais. Ils peuvent aussi mettre le feu. Le chant qui vous a attiré dehors cette nuit, on l'appelle le chœur des sorcières. Dame Odeline voulait vous entraîner près du puits et vous y précipiter…

Même s'il prenait ces propos pour des commérages de valet crédule, Philémon ne put s'empêcher de ressentir un frisson de crainte. N'avait-il point connu un certain malaise en présence de la femme de son aîné ? Comment pouvait-elle savoir qu'il portait une marque de naissance, si ce n'était par clairvoyance ? Et à son arrivée à Hierges, ne l'avait-il pas surprise dans la forêt en train de s'adonner à une cérémonie païenne ?

Pendant de longues minutes, le nouvel écuyer eut l'esprit tourmenté par ces questions. Lorsqu'il voulut interroger plus avant le valet, il se rendit compte que ce dernier avait quitté l'écurie. Dans un soupir, Philémon termina de panser le destrier de Grégoire avant de le conduire, avec Étoile filante, dans la cour où le chevalier l'attendait. Son cousin et lui avaient convenu de faire une chevauchée dans la campagne avec Heribrand et Henri pour mieux connaître les lieux et pour délier les membres des chevaux. Les deux aînés de Hierges avaient l'habitude d'effectuer des reconnaissances journalières du domaine, afin de s'assurer qu'aucun animal sauvage, sanglier, ours ou loup, ne menaçait les paysans et les troupeaux.

Et ainsi, les semaines passèrent. Devenu écuyer de deux chevaliers, Philémon vivait des journées fort occupées et, le soir, il tombait de fatigue. Si bien que Grégoire n'eut guère le loisir de lui raconter la suite des aventures de Raimondin et Mélusine. Manassès avait proposé à son fils de s'installer dans la demeure familiale. Toutefois, percevant l'hostilité d'Alise de Chiny, et craignant les maléfices – véridiques ou imaginaires – de dame Odeline, Philémon avait décliné l'invitation. Il préférait dormir dans la tourelle, sous la protection de son cousin, une situation qui lui permettait également de bénéficier de plus de liberté. Cependant, comme pour ne pas alimenter ses craintes, la femme de son frère aîné s'évertuait à l'éviter. Ils ne se croisaient plus qu'aux repas ou en soirée, dans la salle commune où les membres de la famille se retrouvaient pour converser ou se divertir.

À plusieurs reprises, Philémon s'était retrouvé en tête à tête avec son père. Il en avait profité pour le questionner sur le second anneau de Mélusine. Mais chaque fois, Manassès avait éludé ses questions, en lui répondant qu'il était encore trop jeune pour entrer en possession d'un si lourd héritage. Il préférait attendre que Philémon soit armé chevalier avant de lui remettre son patrimoine. L'écuyer ne se découragea pas et revint à la charge en vain.

Un mois après son installation à Hierges, Philémon avait pris l'habitude de se lever aux aurores pour s'occuper des armes et des chevaux de Heribrand et de Grégoire. Depuis une semaine, et avec l'arrivée des beaux jours du printemps, Gilles de Chimay, un voisin, recommençait à chercher noise aux seigneurs de Hierges au sujet de terres et d'un moulin revendiqués par l'une et l'autre famille. Ce matin-là, Manassès avait annoncé qu'il allait donner à ce Chimay une leçon dont il se souviendrait longtemps.

Une centaine d'hommes en armes sortirent de Hierges, puis suivant le cours de la Meuse, se portèrent au-devant des troupes du sire de Chimay. Depuis son retour de Terre sainte, le père de Philémon avait eu l'occasion de croiser le fer à de nombreuses reprises avec son voisin turbulent dont les soldats faisaient de temps à autre des incursions dévastatrices sur ses terres. Toujours à la recherche de nouvelles victoires qui lui permettraient d'agrandir son domaine, Chimay prenait tous les moyens pour y parvenir, malgré les nombreux serments prêtés sur les reliques des saints que l'Église exigeait pour imposer la Paix de Dieu entre les hobereaux*. Toutefois, comme tous les puissants seigneurs, celui-ci ne voyait en ces déclarations qu'une façon d'imposer sa volonté aux plus faibles.

De Jérusalem, Manassès se vantait d'avoir rapporté un morceau de la Vraie Croix. Enchâssé dans un reliquaire rutilant d'or et de pierreries, cet éclat de bois donnait aux Hierges autant de courage que de volonté d'en découdre, tant ils étaient sûrs d'être dans leur bon droit. Pour Manassès, la croisade avait été une aventure plus qu'un pèlerinage et il en était revenu encore plus belliqueux qu'à son départ.

Les deux troupes se rencontrèrent à l'entrée d'un hameau appelé Vireux-Molhain, au cœur d'un boisé bordé d'un mur de pierres sèches datant de l'époque gallo-romaine dont les paysans se servaient pour édifier leurs habitations, si bien que la muraille était diminuée, percée et écroulée en de nombreux endroits.

Le choc des épées et des masses sur les boucliers emplit bientôt la forêt de cris et de tumulte. Philémon avait reçu l'ordre de Grégoire de demeurer en tout temps à ses côtés afin que le chevalier puisse le protéger et lui venir en aide, en cas de besoin. Heribrand avait exigé le même comportement de son frère Henri. Ils étaient de jeunes et fiers combattants, et devaient se méfier de leur impétuosité qui pouvait les conduire vers une mort prématurée.

Les coups pleuvaient et les blessures furent nombreuses. Soudain, Gilles de Chimay se précipita sur Manassès en le menaçant d'un fléau, une arme composée d'un manche court et d'une chaîne se terminant par une masse de fer armée de pointes. Philémon frissonna. Il avait vu ce type d'arme entre les mains des moines-soldats teutoniques à Jérusalem et savait les dégâts qu'elle pouvait occasionner. Peu de chevaliers francs savaient vraiment s'en servir, tant le maniement de cette arme était difficile. Beaucoup se blessaient eux-mêmes.

Le seigneur de Hierges leva bien haut son écu pour amortir le choc du fléau. Une fois, deux fois, trois fois, dix fois… Mais Manassès n'était plus un jeune homme et ses nombreux excès de bombance des dernières années avaient émoussé sa santé et sa force; il faiblissait et parvenait de moins en moins à parer les coups. Heribrand et Grégoire tentèrent de se porter à son secours, mais chaque fois, des féaux* de Chimay se jetaient entre eux et le père de Philémon. Un coup atteignit brusquement Manassès au tibia, perça sa jambière de cuir et lui fit vider les étriers. Il hurla de douleur. Son fils aîné réussit à le rejoindre, sauta à bas de son cheval et tira son père à l'écart, tandis que Henri se précipitait sur le reliquaire contenant un morceau de la Vraie Croix pour éviter qu'il tombe entre les mains de leurs ennemis. Autour d'eux, le combat se poursuivit, bruyant, haineux, acharné. Tout à coup, Grégoire vit une ouverture dans la défensive des ennemis qui faisaient rempart devant leur seigneur. Il s'y précipita pour se jeter sur Gilles de Chimay et lui asséna de durs coups d'épée au corps, sans pour autant réussir à le faire chuter de cheval. Cependant, voyant leur voisin pris à partie par le jeune poulain, les hommes de Manassès vinrent lui prêter main-forte. Henri défia Chimay en brandissant le reliquaire devant lui, tandis que les efforts des fidèles soldats de Hierges portaient enfin leurs fruits. Encerclé de toutes parts, le comte dut bientôt demander grâce. Sur le champ de bataille, les blessés se comptèrent par dizaines, et on déplora une demi-douzaine de morts, autant parmi les gens de Hierges que ceux de Chimay. Après cette violente esquermie, les deux troupes se retirèrent enfin chacune dans leur fief, pour panser leurs plaies. Gilles de Chimay jura, encore une fois, de cesser les hostilités. Mais tous savaient bien que ce n'était que partie remise, tant que leur suzerain, le roi de France Louis le septième, n'interviendrait pas. Et le roi avait bien d'autres chats à fouetter.

De retour à Hierges, la blessure de Manassès fut aussitôt examinée par dame Odeline qui la déclara grave. Elle prescrivit au vieil homme un mélange d'herbes de sa composition et entreprit de recoudre la plaie à vif en arrachant des hurlements à son patient. Philémon aurait bien aimé proposer un peu de ce baume dont le moine Anthime lui avait fait présent à Marseille. Malheureusement, l'odeur qui se dégagea de la petite boîte dès son ouverture lui apprit que le remède avait tourné avec le temps et était désormais inutilisable. Il dut se résoudre à le jeter.

Il y avait près d'une semaine que Manassès avait été touché grièvement, mais il ne guérissait pas. La blessure semblait même s'infecter. Dame Alise voulut dépêcher un messager à l'abbaye de Brogne pour y quérir l'aide d'un moine que l'on disait féru de médecine. Philémon proposa de s'y rendre lui-même. Le couvent n'étant qu'à deux heures de chevauchée du château, cela lui permettrait de faire courir Étoile filante.

Sur le chemin du retour, le jeune écuyer aperçut un groupe d'hommes malingres et hideux s'appuyant sur leurs bâtons pour aider leur marche. « Sans doute des bergers », se dit-il. Mais la terreur qu'il lut sur les traits du moine qui l'accompagnait l'intrigua.

— Ce sont des meneurs de loups ! glapit le religieux en se signant plusieurs fois de suite.

Comme Philémon n'avait pas l'air de comprendre ni de s'inquiéter, le frère poursuivit en surveillant les individus du coin de l'œil.

— Ce sont des coquins qui vivent dans la forêt. On les soupçonne d'apprivoiser des loups grâce à des formules magiques pour ensuite les jeter sur les pauvres voyageurs qui ont le malheur de croiser leur chemin. À la tombée de la nuit, on les aperçoit parfois, escortés d'au moins une trentaine de loups !

Philémon suivit à son tour la demi-douzaine d'hommes du regard. Aucun animal ne les accompagnait, ni âne ni loup. Il songea que ce pays était rempli de superstitions et que les sombres forêts devaient être les responsables de ces terreurs inventées ou réelles qu'on se racontait à la veillée dans les hameaux isolés, ce qui contribuait à propager la crainte.

— Les meneurs de loups sont des sorciers, poursuivit le moine. On dit que ce sont des loups-garous qui ne subissent pas de métamorphose grâce à un pacte avec le diable, continua-t-il en se signant derechef.

Éloignons-nous vite ! Il est dangereux de les affronter, de jour comme de nuit.

Philémon sentit le froid l'envahir ; ces légendes avaient toujours des bases sérieuses, mais en tant qu'étranger en ce pays, il lui était difficile de faire la part des choses entre la vérité et l'invention. Il préféra suivre le moine en songeant qu'il interrogerait Heribrand plus tard sur la présence de ces gueux non loin de Hierges.

Une fois qu'ils furent de retour au château, le moine se hâta au chevet de Manassès. On le disait féru de médecine, mais Philémon vit bien qu'il n'y connaissait somme toute pas grand-chose. Il était loin d'avoir le savoir des moines et des mires hospitaliers qu'il avait rencontrés tant à Jérusalem qu'à Marseille. L'adolescent craignait qu'il ne fasse pire que bien. Philémon se rendit compte qu'il faisait finalement davantage confiance aux préparations médicinales de dame Odeline qu'aux prières et invocations du religieux.

Le moine resta trois jours au château sans parvenir à soulager le blessé d'une quelconque façon. À un moment, il proposa même de lui donner l'extrême-onction, ce qui mit Heribrand hors de lui. L'héritier jeta le cénobite à la porte, malgré les protestations de dame Alise qui, étant fort religieuse, préférait recourir à une intervention divine plutôt qu'aux simples de sa bru. Deux façons de voir la maladie s'affrontaient, au détriment de Manassès qui dépérissait.

Finalement, devant les insistances d'Alise de Chiny, Odeline dut renoncer à traiter son patient.

Prié de prendre parti entre sa mère et sa femme, Heribrand préféra aller courir la campagne avec Grégoire, Philémon et ses frères plutôt que de se prononcer. Mis au courant par son demi-frère de la présence de miséreux inquiétants aux alentours du château, le jeune seigneur vit là le prétexte idéal pour s'éloigner du castel, d'autant que le printemps s'installait durablement et que les paysans commençaient à travailler aux champs, ce qu'ils ne pouvaient faire sans protection, selon ses dires.

Un mois après la bataille, la condition de Manassès se dégrada encore et il fallut envisager l'amputation. Odeline prépara un breuvage anesthésiant à base de pavot et le charpentier officia en tant que chirurgien. Le membre fut coupé au genou avec une scie de charpentier, puis pour arrêter l'hémorragie, dame Odeline versa de l'huile bouillante sur le moignon sanguinolent. Dès la première entaille de ses chairs, Manassès s'était évanoui. L'Église réprouvait de faire couler le sang, c'était la raison pour laquelle personne à Hierges n'avait demandé au moine de l'abbaye de Brogne de revenir procéder à l'intervention. Ses prières et ses cataplasmes ne pouvaient sauver le patriarche. Odeline, que tous soupçonnaient d'entretenir des liens avec les bonnes dames des forêts et des sources, avait donc pris les choses en main.

L'été succéda au printemps. Le vieux seigneur de Hierges ne pouvait plus ni monter à cheval ni se déplacer; il passait des heures prostré dans son fauteuil à boire et à manger avec excès, disant que c'étaient les seuls plaisirs qui lui restaient. Philémon était triste de voir son père dépérir ainsi, mais il ne pouvait rien faire pour l'aider à surmonter la perte de sa jambe gauche.

—Dame Odeline fait tout ce qu'elle peut, commenta un soir Grégoire, alors que les deux cousins avaient choisi de ne pas se joindre aux membres de la famille de Hierges pour la soirée. Seule une puissante magicienne comme Mélusine aurait pu sauver le membre de ton père…

—Pourquoi me parles-tu de Mélusine, ce soir? l'interrogea Philémon.

—Parce que…. parce que ton père et toi êtes ses descendants, et que si Manassès avait l'anneau de Mélusine en sa possession, il n'aurait sans doute pas été blessé au combat ou pas aussi gravement.

—Tu as raison! s'exclama le nouvel écuyer. Je n'ai vu aucun anneau à son doigt. Et il ne m'a pas encore parlé de cet anel, alors qu'il s'agit quand même de mon héritage. Selon ce que j'en sais, pour agir, les deux anneaux doivent être portés ensemble. Mais la personne qui en possède un seul doit sûrement être protégée, ne serait-ce qu'un petit peu. Tiens, prends la princesse Sibylle! Eh bien, quand elle a été attaquée près du mont des Oliviers, elle n'a subi aucune blessure! C'est sûrement parce que l'un des anneaux se trouvait dans la cassette qu'elle avait cachée sous son mantel. Il l'a protégée!

— Donc, si ton père a été blessé aussi grièvement, c'était qu'il ne portait pas l'anneau sur lui! ajouta Grégoire. S'il l'avait eu en sa possession, sachant que ce puissant talisman le protégerait, il l'aurait mis à son doigt pour prendre part à l'esquermie.

— Et s'il ne le porte pas, c'est qu'il l'a caché quelque part... On ne laisse pas un objet aussi important à la portée de n'importe qui, enchaîna Philémon.

— Effectivement. Tu réfléchis juste, cousin! le félicita Grégoire.

À cet instant, les paroles de Noâm retentirent dans le cerveau de Philémon. Le troisième mot que le mire lui avait enseigné était «intelligence». Il tenta de se souvenir des propos exacts de son ami juif: «L'intelligence, c'est le discernement, l'approfondissement et la compréhension d'une idée. C'est la capacité qu'a l'esprit de déduire une chose d'une autre. C'est le raisonnement et la logique, et leur rencontre avec l'imaginaire.»

Jusqu'à maintenant, il n'avait pas bien saisi ce que le vieil Hébreu avait tenté de lui apprendre à Chypre, mais plus le temps s'écoulait, plus il mûrissait, et plus il se rendait compte que le mire lui avait donné des clés pour s'épanouir en harmonie, et peut-être pour devenir un homme meilleur.

— Ma mère et maître Géraud seraient fiers de toi, Philémon, poursuivit Grégoire, sans se rendre compte que l'adolescent était perdu dans ses pensées.

— À propos de Mélusine, si tu poursuivais ton récit, j'y trouverais peut-être un indice de l'endroit où Manassès a dissimulé l'anneau…

— Tu pourrais le lui demander, répondit le chevalier.

— Tu crois que je ne l'ai pas fait ? Depuis des semaines, je le talonne, mais il ne me pense pas encore prêt pour me confier mon héritage, soupira Philémon. Et s'il venait à mourir avant de me l'avoir remis, je devrais me débrouiller pour retrouver l'anneau par mes propres moyens. Le conte de Mélusine peut sûrement nous donner quelques indices sur le lieu où se trouve cet anel.

15

Comme l'en avait prié son cousin, Grégoire reprit son récit à l'endroit exact où il s'était interrompu quelques semaines plus tôt.

Raimondin enfonça un peu plus sa lame dans l'interstice, mais elle cassa net dans un bruit sec. Le chevalier suspendit son geste et écouta, soucieux. L'avait-on entendu de l'autre côté de la porte? Au bout d'un moment, il se rassura. Il chercha son perce-maille à sa ceinture, le tira et enfonça la pointe dans le bois en tournant. Le silence persistait. Il poursuivit son travail, la sueur au front, l'échine glacée par l'anxiété. Que se passait-il donc derrière ce ventail? Ses pensées se bousculaient, créant mille et une images, toutes plus affligeantes les unes que les autres. Il sentait la folie le saisir dans son étau.

Le perce-maille s'enfonça aux trois-quarts dans le bois. Il l'enleva, puis l'y remit, en tournant, pour élargir le petit trou qu'il avait réussi à créer. Il s'arc-bouta contre la muraille pour avoir plus de force, quand tout à coup, il la sentit céder sous son poids et basculer, comme le ferait un mur dérobé dans un souterrain. Il n'hésita pas une seconde et franchit la cloison entrouverte. Il s'immobilisa sur le seuil d'une pièce dont le sol était couvert de sable doré. Les murs étaient nus, mais sur une table basse, à quelques pas de là, brûlait une lampe à huile. Il tendit la main pour s'en saisir, lorsqu'il surprit, non loin, un étrange bruit d'eau. De crainte d'être découvert, il délaissa le lumignon et s'allongea à plat ventre sur le sol, dans l'attente que ses yeux s'habituent à la demi-obscurité des lieux. Bientôt, il y vit beaucoup mieux. La salle était assez grande et possédait de hauts murs, dépourvus de tentures. Dans celui à sa gauche, il remarqua des branches de corail rouge, blanc et noir, des coquillages, des pierreries brutes de toutes les couleurs disposés dans des alvéoles. À sa droite, le pan de mur semblait constitué d'eau qui ruisselait en une douce cascade, tandis que devant lui se dressait une cloison transparente, un immense vitrail aux pièces de verre retenues par des filets d'argent. Il n'avait jamais rien vu d'aussi beau et se demanda s'il n'avait pas été transporté dans un autre monde par quelque magie. Tout à coup, le bruit de l'eau parut s'intensifier. Il se remit debout et se dirigea avec circonspection vers le vitrail derrière lequel une forme allait et venait. Il remarqua alors que le panneau de verre s'ouvrait en son centre, en arceau retenu par deux hautes colonnes de marbre noir. Il se glissa sur la droite pour se dissimuler derrière l'une d'elles.

La sueur qui continuait de glisser dans son dos le faisait frissonner. Ses nerfs étaient tendus à l'extrême. De la promesse qu'il avait faite, de la vie qu'il avait vécue jusqu'à ce moment précis, il ne semblait plus rien savoir. Lentement, il inclina la tête pour la passer tout entière à travers l'arceau. Mais à peine ses yeux se posèrent-ils de l'autre côté qu'il les referma bien vite en reculant. Il chercha à se persuader qu'il n'avait rien vu. Pourtant, à tout jamais, il porterait dans son cœur et dans ses pensées la vision qui s'était offerte à lui.

Brusquement, une vague de culpabilité l'envahit. Il était le seul responsable de son malheur. Il le comprenait bien maintenant, mais il était trop tard. La sueur glaciale qui coulait sur son corps parut s'infiltrer jusque dans son âme. Il se persuada qu'il allait bientôt mourir. Mais avant de trépasser, il voulut voir une dernière fois, pour se convaincre que tout était perdu. Il pencha la tête, et regarda de nouveau. Il s'emplit de la vision d'une immense cuve qui reposait sur une dalle de mosaïque bleu foncé. De ce bassin émergeait le buste d'une femme, magnifiquement belle et jeune, qui peignait sa longue chevelure d'or. Il remarqua sa chair pâle, nacrée, presque transparente. Dans son autre main, elle tenait un miroir de cristal qui reflétait la lumière sur son visage. Elle souriait à son reflet. Lentement, elle pivota sur elle-même, et un long appendice d'écailles vertes plongea sous l'eau, remuant des nymphéas aux immenses fleurs blanches, dont l'arôme parvint jusqu'à lui et lui tourna les sens.

— Une queue de serpent! s'exclama Philémon, les yeux écarquillés.

— Exactement! approuva Grégoire. Ne te souviens-tu point de la malédiction qui pèse sur elle? Rappelle-toi les paroles de sa mère, la fée Pressine. "Mélusine, puisque c'est toi qui as eu l'idée de mettre ton père en prison et qui as entraîné tes sœurs à commettre ce forfait, voici ta punition. Tous les samedis, du nombril jusqu'aux pieds, tu auras le corps d'un serpent. Tu ne pourras échapper à ce sort qui condamne les mauvaises fées que si tu trouves un homme qui accepte de t'épouser et promet de ne jamais te voir le samedi, lorsque tu prendras ton bain. C'est seulement de cette façon que tu pourras vivre une vie de femme et avoir de nombreux et valeureux descendants. Mais attention! Si ton mari manque à sa parole, tu redeviendras serpent jusqu'à la fin des temps."

— *Sainct sang bieu!* éclata Philémon. Ça veut dire que... que...

— Ne saute pas trop vite aux conclusions, cousin! l'interrompit le chevalier. Écoute la suite.

Le regard fixe, Raimondin vit la pointe de la queue serpentine se relever, ruisselante, au bord du bassin. Hébété, il recula derrière la colonne noire et s'écrasa, face contre terre dans le sable doré dont il sentit quelques grains crisser entre ses dents serrées.

Comment retourna-t-il à sa chambre? Il n'aurait su le dire. Il se souvenait seulement de la sensation de la muraille se refermant sur ses talons. De sa course effrénée dans l'escalier vertigineux et de son retour dans son lit, il n'avait nul souvenir. Dans ses pensées, il ne voyait que le buste de la femme. De sa femme, redevenue étrangement jeune et lumineuse, comme au premier jour de leur rencontre. Il ne voulait rien se remémorer d'autre. L'amour qu'il ressentait pour elle pressa son cœur; il lui sembla qu'il ne l'avait jamais aimée autant, et pourtant, il savait qu'il avait tout perdu. Par sa faute. Ainsi, c'était vrai. Jamais au grand jamais elle ne l'avait trompé, aucun autre homme ne la retenait au cours de ces nuits du samedi au dimanche. Et lui, qu'avait-il fait? Il avait tout brisé, piétiné, détruit... par pure jalousie.

Il se rendit compte qu'il tremblait de tous ses membres et qu'il claquait des dents dans son lit où il ne pouvait se réchauffer. Le soleil venait de se lever et éclairait faiblement la chambre, quand Raimondin entendit les pas qu'il espérait tout autant qu'il les redoutait. Il parvint à feindre le sommeil, lorsqu'il sentit Mélusine se glisser près de lui, contre lui, entre les draps soyeux. Alors, il se prit à espérer. Il se retint de se retourner pour la serrer dans ses bras et tout lui avouer, peu importe ce qu'il adviendrait ensuite. Il ne pouvait ni dormir ni lui parler; il ferma donc les yeux, laissant les larmes inonder son cœur en murmurant pour lui-même, les lèvres closes: «Mélusine. Je vous aime tant. Vous ai-je donc perdue, sans retour? Non... Vous êtes ici. Notre amour existe encore. Cette promesse qui nous lie, ces enfants qui sont une partie de nous deux, cette confiance que vous m'accordez, rien de tout cela ne peut mourir. Vous êtes tout et plus encore : beauté, bonté, plaisir, réconfort, ma vaillance, mon espérance et ma destinée ! J'ai été fol et niais. Je trompe, je trahis, je flétris ! Perfide, je suis ! Ah, Mélusine, Mélusine ! Ma compagne admirable, ma douce. Par ma trahison j'ai entaché votre honneur. En vous soupçonnant, c'est moi que j'ai puni. Que puis-je faire, Mélusine ? »

Il n'avait de cesse de se lamenter, tout tremblant. Mélusine se pencha sur lui.

— Que se passe-t-il, doux ami ? Vous frissonnez. Est-ce donc en rêve que vous parlez avec ces mots sans suite, incompréhensibles ?

Raimondin claqua des dents encore plus fort. Il se sentait glacé jusqu'aux os. Les yeux mi-ouverts, il attendait que la mort l'emporte, puisque c'était ce qu'il méritait pour avoir trahi sa promesse et bafoué son honneur.

— Mais qu'avez-vous donc ? le pressa la fée. C'est moi, Mélusine ! Je vous en supplie. Êtes-vous malade ? Parlez. Parlez-moi !

La voix de sa femme le transperçait comme un dard. Mais plus elle l'interrogeait, plus l'espoir renaissait en lui. N'avait-elle donc point eu connaissance de son forfait ?

Tout à coup, une image violente se présenta à son esprit. Il se revit dans l'escalier, dans la pièce aux accents de bord de mer où il l'avait aperçue. Il réfléchit alors. Non, elle ne l'avait pas vu. Elle ne savait rien. Il sentit que la vie revenait dans ses veines. Il se tourna pour la prendre dans ses bras. Son corps chaud contre le sien le réconforta. Il avait l'impression de sortir d'un horrible cauchemar. Il pressa ses lèvres contre celles de sa femme, sans remarquer le triste sourire qu'elle cacha rapidement. D'une voix un peu lointaine, en s'abandonnant à sa tendresse, elle murmura :

— Mon bien-aimé, gardez-moi toujours ainsi contre vous !

Puis, si bas qu'il ne put l'entendre, elle ajouta :

— Si je pouvais mourir maintenant, je serais heureuse !

Car bien entendu, Mélusine savait tout. D'abord, elle avait vu son ombre derrière le vitrail, puis son miroir de cristal lui avait révélé la présence de Raimondin derrière la colonne de marbre noir. Enfin, elle l'avait deviné par elle-même, parce qu'elle était fée et qu'il ne pouvait rien lui celer.

Pour la première fois, depuis toutes ces années, alors qu'ils avaient appris à s'aimer, à s'apprécier, à se connaître mieux au fil du temps, voilà que le mensonge les éloignait l'un de l'autre.

Et Raimondin mentit davantage.

— Ne vous inquiétez pas, ma dame. J'ai peut-être eu un peu de fièvre en votre absence, mais tout va beaucoup mieux. Votre présence me guérit, Mélusine.

Elle se blottit un peu plus contre lui, et s'endormit. Mais Raimondin ne pouvait trouver le sommeil. Il reprit le cours de ses pensées, continuant à murmurer en lui-même : « Ma pauvre serpente adorée. Mon amour, ma sirène. Si je n'étais pas si sûr de ce que mes yeux ont vu, je croirais avoir rêvé. Jamais je ne t'ai autant aimée.»

Il se répétait cette dernière phrase, encore et encore. Comme s'il cherchait à s'en persuader.

Lorsque Mélusine ouvrit les yeux, il était déjà tard. Le soleil entrait à pleins feux dans la chambre. Raimondin trouva à sa douce moitié une mine plus pâle que d'habitude, comme si une partie de son sang s'était retirée d'elle. Quand sa femme lui parla, il remarqua combien sa voix était mélancolique et faible.

«Tout le monde connaît des jours maussades, se dit-il. Il est bien naturel que Mélusine soit fatiguée, elle n'a de cesse de bâtir, construire, agrandir notre domaine. Demain, plus rien n'y paraîtra.»

Persuadé qu'elle ne l'avait pas vu, la nuit précédente, il ne pouvait croire que son teint pâle reflétait son immense tristesse. «Tout sera bientôt comme avant!» songea-t-il encore. Et il le croyait presque. Il se leva, se vêtit et quitta la chambre, avec assurance.

En arrivant près du pont-levis qui s'ouvrait dans les remparts de Vouvant, il aperçut son frère Hugues qui se promenait d'un pas lent le long des douves. De temps à autre, le comte de Forez jetait des petits cailloux dans l'eau, regardant remonter les poissons à la surface de l'onde, tandis que les grenouilles et les crapauds sautaient de nénuphar en nénuphar. Il paraissait soucieux. Hugues se retourna vivement à l'approche de Raimondin.

— Eh bien, comment se porte dame Mélusine ce matin ? interrogea-t-il aussitôt son frère.

Lusignan lui décocha un regard terrible. Sans rien dire, il se tourna légèrement en direction de la tourelle où tout s'était passé, au cours de cette étrange nuit. Il sentit monter en lui une rage irrépressible contre son aîné. Il aurait voulu, par un seul regard, faire s'écrouler la maudite tour sur son frère et l'écraser comme la vulgaire mouche à fumier qu'il était.

— Eh bien ? répéta Hugues de Forez.

Raimondin le toisa fixement, toujours en silence. Il songea qu'il n'avait qu'à tendre la main et pousser Hugues. Un seul petit coup suffirait et tout serait fini. Les douves étaient profondes et la cotte de mailles entraînerait le comte qui coulerait vite jusqu'au fond.

— Vas-tu me dire pourquoi tu es si pâle ? Tu as vu ce que tu voulais voir ? Ah, je le savais. J'avais raison... Pauvre frère ! Mais il fallait que tu saches, un jour ou l'autre...

Le visage de Raimondin se fit dur et inquiétant, si bien que le comte de Forez glissa d'un pas vers l'arrière, en cherchant une façon de fuir. Ne trouvant d'espace dégagé ni à droite ni à gauche, il recula encore, plus près des douves.

Il ne restait qu'une coudée entre lui et les eaux menaçantes lorsque Raimondin se mit à parler d'une voix si grave, si emplie de malédiction, que Hugues frissonna de peur.

— Pars ! Pars de céans ! Fuis ! Ne reviens jamais ! Jamais plus ! Faux frère. Déloyal. Tu m'as fait commettre un crime impardonnable, presque irréparable. Tes conseils perfides, funestes, sont comme des graines pourries venues de l'Enfer. À cause de ta méchanceté jalouse, tu as suscité mes soupçons, encore plus bêtes et plus criminels que les tiens. Tu m'as forcé à me parjurer. Va-t'en! Fuis où tu voudras, mais loin, très loin de moi, de Mélusine, de ma famille. Que ma haine éternelle s'accroche à tes pas! Tu as volé le repos de mon âme. Prends garde à toi si tu oses encore fouler mes terres. Tu n'as apporté ici que le mal et la douleur. Quitte ma maison, car je ne réponds plus de rien. Ôte-toi de ma vue! Tu n'es plus de mon lignage!

Hugues, le souffle coupé par cette attaque verbale qu'il n'avait pas vue venir, pâlit à son tour. Constatant que son frère lui laissait le passage libre, il fit un pas de côté, puis un autre, et se retira sans oser parler, ni même saluer son cadet. Le dos voûté, le comte longea les douves, franchit le pont-levis et se rendit aux écuries pour y récupérer sa monture.

Les cloches des églises se mirent à sonner. Raimondin eut l'impression qu'elles résonnaient moins fort et moins joyeusement que d'habitude. En rentrant dans l'enceinte de Vouvant, il croisa ses vassaux rassemblés, comme chaque dimanche, sur la place de la petite église. Relevant la tête, il vit venir à lui Mélusine et lui sourit tristement. Les chevaliers et les dames leur trouvèrent à tous deux un air de lassitude, mais personne n'en dit rien. Après la messe, le repas dominical coutumier eut lieu avec tous les gentilshommes, leurs femmes et leurs enfants, toutefois la gaieté et l'insouciance n'étaient pas au rendez-vous, ce jour-là. Raimondin et Mélusine mangèrent en silence, sans se mêler des conversations, sans s'enquérir des nouvelles des uns et des autres, comme ils le faisaient depuis plus de vingt ans.

Après le repas, Mélusine embrassa ses derniers fils, Orrible, Thierry et Raimonet, en les serrant longuement entre ses bras, tant et si bien que le plus âgé des trois s'en inquiéta:

— Que se passe-t-il, mère? l'interrogea Orrible, qui venait d'avoir cinq ans. Tu pars en voyage?

— Oui, bientôt! Mais n'aie crainte, je vous reverrai avant de m'en aller, murmura-t-elle, de manière à ce que nul autre que le garçonnet ne puisse l'entendre.

Puis, Mélusine rejoignit Raimondin et ils se retirèrent dans leurs appartements. Elle se glissa entre ses bras et l'embrassa lui aussi longuement.

— Je prends congé, car je dois retourner à Niort comme convenu, lui dit-elle, puisqu'il semblait avoir oublié que des ouvriers étaient en train de terminer de bâtir la forteresse aux tours jumelles, sous sa supervision.

— Allez donc, répondit-il d'une voix blanche, tandis qu'elle s'écartait de lui.

— La forteresse de Vouvant! l'interrompit encore Philémon. Si mon père a dissimulé le second anneau, ce ne peut être que là. Je suis sûr qu'il l'a rapporté dans la chambre marine où Mélusine aimait se baigner.

— Je n'en suis pas si assuré que toi, répondit Grégoire. Ce serait trop facile. Mélusine a bâti de nombreux châteaux, manoirs, tours et forteresses. L'anneau peut être aussi bien à Saint-Maixent, qu'à Niort, Parthenay, Lusignan et même Fougères. Et tiens, pourquoi pas à l'abbaye de Maillezais où Fromont est devenu moine ? Il nous faudrait plus d'une vie pour fouiller tous ces endroits. Tu dois parler à Manassès. Il est sûrement conscient que si sa blessure l'emporte, tu ne pourras plus avoir accès à l'anneau. Il a dû prévoir quelque chose s'il venait à mourir avant de t'avoir révélé où se trouve le jonc.

16

L'état de Manassès s'était enfin stabilisé et le patriarche s'habituait peu à peu à se déplacer, tant bien que mal, sur une seule jambe. Toutefois, il ne quittait plus le château, et même fort peu sa chambre. Il semblait attendre la mort. Presque l'espérer, songeait Philémon. Toutefois, son père se refusait toujours à lui dire ce qu'il avait fait de l'anneau de Mélusine, prétextant son jeune âge. L'écuyer rageait intérieurement. Et il écuma davantage lorsque Manassès décida d'envoyer Grégoire et quelques-uns de ses vassaux prêter main-forte à l'un de ses lointains parents aux prises à son tour avec un voisin envahissant. Privé de la présence de son cousin, l'adolescent ne tarda guère à se sentir bien seul au sein de cette famille qu'il ne connaissait que fort peu. Les soirées étaient longues, et il n'osait interroger son père en présence de dame Alise pour connaître la suite des aventures de Mélusine. L'ennui le gagna.

L'été s'était bien installé, et avec lui le domaine grouilla enfin d'activité, ce qui permit à Philémon de mieux supporter le vide laissé par son cousin. Cependant, ses frères Heribrand, Henri et Louis s'absentaient souvent, remplaçant leur père dans ses tâches. Ils se chargeaient notamment de percevoir les winages, un droit qui assurait la richesse de Hierges étant donné que le transport des marchandises par voie fluviale redoublait en période estivale. Albert, lui, passait tout son temps avec l'abbé Silon, en attendant d'entrer définitivement à l'abbaye de Brogne. Il n'avait donc pour interlocuteurs que Gautier, âgé de neuf ans, et Mélissandre, six ans.

Les relations du bâtard avec ses frères et sa petite sœur s'étaient peu à peu consolidées ; ils s'entendaient relativement bien. Par contre, Alise de Chiny continuait à le tenir à l'écart, l'accablant de son indifférence.

— Tu as bien de la chance qu'elle ne se montre pas plus hostile, lui avait signalé Grégoire juste avant son départ. Tant qu'elle t'ignore, tu ne risques rien. Ne t'en fais pas, je reviendrai au plus tard au début de l'automne, peu importe l'issue de la bataille. Manassès ne nous engage chez son parent que pour quelques mois.

— Promets-moi que tu reviendras ! lui avait enjoint Philémon, inquiet malgré tout, car, il le savait bien, la Faucheuse pouvait frapper à tout moment, sans distinction.

Grégoire, armé de pied en cap, lui avait renvoyé un sourire d'encouragement, en se hissant sur sa monture.

— Je te l'ai déjà dit. Je ne me laisse pas occire facilement.

Les pensées de Philémon continuèrent à voltiger, s'attardant sur chacun des nobles habitants de Hierges. À l'évocation d'Odeline de Meyraux, il songea que l'épouse de son frère aîné l'évitait et l'adolescent n'en comprenait pas la raison. Il avait tenté d'en apprendre plus auprès de Heribrand, mais celui-ci n'avait pu lui dire pourquoi sa dame se montrait si distante. Sans doute une question d'affinités, il ne fallait pas y voir un rejet.

L'automne était maintenant en train de chasser l'été et Grégoire n'était pas encore revenu. Par deux fois, des pigeons voyageurs avaient fait parvenir des nouvelles de la lointaine bataille aux seigneurs du château. Les combats avaient été féroces, mais le poulain s'en tirait sans dommages. Dans l'une des missives, il assurait Philémon de son retour prochain.

ℳ

Ce matin d'octobre, Philémon vit la dame de Chiny, en grand équipage, accompagnée de ses fils, d'une douzaine de gardes, de chevaliers et de ses servantes, ainsi que d'un chariot débordant de bagages, franchir la herse du château Jérusalem. Quelques jours plus tôt, le page avait appris de la bouche du puîné des garçons, Gautier, que toute la famille se rendait aux noces du sire d'Apremont, le fils d'Ide, sœur cadette d'Alise.

À cause de son état, Manassès avait dû renoncer à faire le déplacement. Quant à Philémon, la dame n'avait, semble-t-il, pas cru bon de l'inviter, mais il s'était dit qu'il ne s'en trouverait pas plus mal.

Après s'être occupé d'Étoile filante, il se rendit dans la salle d'armes pour débosseler des pavois, recoudre des cuirasses de cuir, et réparer les mailles des hauberts. Tout à coup, des chants provenant de la chambre paternelle le tirèrent de ses préoccupations. Il sortit du donjon et leva la tête vers son sommet, en direction de la fenêtre ouverte sur la pièce où vivait son père. Il écarquilla les yeux. Un instant, il lui semblait avoir distingué l'éclat de flammes poussées par le vent. Il fixa l'ouverture, mais la lueur ne revint point. Cependant, les chants se poursuivaient et il reconnut la voix qui l'avait déjà attiré, celle d'Odeline de Meyraux. « Le chœur des sorcières », l'avait mis en garde un valet.

« Elle n'est pas partie avec son mari ! Pourquoi ? Et que fait-elle donc dans la chambre de mon père ? »

Philémon n'osait aller y voir de plus près. Tout à coup, il crut remarquer des ombres sombres qui s'enfuyaient par les croisées. Elles avaient des formes presque humaines quoique fort étirées. La peur se faufila sous son bliaut, et il se mit à trembler. Pendant quelques minutes, il hésita. Puis, prenant son courage à deux mains, il retourna en courant dans la salle d'armes et arracha une épée à un râtelier. Ainsi armé, il se précipita dans le colimaçon menant aux étages supérieurs, la chambre de son père se trouvant au troisième palier.

Lorsque Philémon arriva près de la porte, il s'immobilisa pour reprendre son souffle et tendre l'oreille. Le chant se poursuivait. Il remarqua que le ventail était entrebâillé et le poussa lentement. Le battant couina. Il risqua un œil dans la pièce. Ce qu'il vit le laissa sans voix. Cette fois, des ombres blanches, évanescentes et opaques comme de la brume, glissaient autour du lit, du sol au plafond, dans un ballet aérien lent et irréel, poussées par un vent frais qui s'immisçait par la fenêtre ouverte. Le châlit de son père était bordé de pierres, certaines précieuses, de différentes couleurs luisant d'un éclat lumineux surnaturel, et de plantes et fleurs fraîches qui apportaient à l'endroit un air appesanti d'odeurs diverses, certaines puissantes, presque désagréables. Près de la couche, dame Odeline tournoyait sur elle-même, en transe, tandis que de ses lèvres jaillissait ce chant aux paroles incompréhensibles qui l'avait intrigué plus tôt. Il remarqua enfin que de hautes flammes montaient des torchères agrippées aux quatre murs, au risque d'embraser les fins voiles qui battaient à la fenêtre et les tentures qui drapaient les cloisons et le lit. Il eut l'impression que la lumière des flammes stimulait l'éclat des pierres et qu'un échange d'énergie s'effectuait entre la terre et le feu représenté par ces lueurs. Des faisceaux en forme d'entrelacs ondulaient sur le plafond et la muraille. Aux yeux du garçon, ce ballet était magnifique et effrayant à la fois. Odeline était-elle une fée, comme Mélusine ? Ou une macrale ? Il se souvint du ricanement qui avait fusé des lèvres de la jeune femme lorsqu'il l'avait soupçonnée de sorcellerie, ce fameux soir, près du puits. Que faisait-elle aujourd'hui dans cette chambre ? Que faisait-elle à Manassès ? Était-elle en train de le soigner, de chasser les mauvais esprits, ou au contraire, cherchait-elle à l'envoûter, à le tuer peut-être, afin que Heribrand hérite au plus vite des terres de Hierges ?

Philémon poussa plus grand la porte ; son mouvement interrompit la valse de la jeune femme. Son chant cessa, elle ouvrit les yeux. Aussitôt, les formes s'évanouirent par la fenêtre, tandis que le voile retombait mollement sur la croisée et que les flammes cessaient de s'étirer, rendant aux pierres leur couleur d'origine.

— Arrière, sorcière ! hurla Philémon en la menaçant de son épée. Qu'avez-vous fait à mon père, âme damnée ?

L'adolescent se rapprocha du châlit où Manassès reposait, le visage serein. Depuis des mois, c'était la première fois que Philémon ne le voyait pas grimacer de douleur.

— Qui… qui êtes-vous donc ? bredouilla l'écuyer, en dévisageant l'épouse de son frère.

— Je ne suis qu'une femme qui connaît les rites des temps anciens, rien de plus. Tu n'as pas à avoir peur, je ne veux aucun mal au seigneur de Hierges, au contraire.

Les grands yeux bruns de Philémon rencontrèrent ceux d'un vert émeraude d'Odeline. Était-ce parce que la dame de Meyraux était encore sous l'emprise des charmes qu'elle avait déployés dans la pièce, toujours est-il qu'elle recula, effrayée par ce qu'elle lisait dans le regard du garçon. C'était la première fois qu'elle entrait ainsi en quelqu'un, jusqu'au tréfonds de son être. Elle avait tenté de le faire, en vain, quelques mois plus tôt, lorsqu'elle avait attiré Philémon près du puits, mais cette fois, ses efforts étaient récompensés.

— L'éternité… balbutia-t-elle, les pupilles dilatées. L'éternité…

Philémon vit la chair de poule envahir ses bras dénudés. Il ramassa le mantel qu'elle avait laissé sur un fauteuil et avança pour l'en couvrir, mais, saisie d'effroi, la femme s'enfuit par la porte qu'il avait laissée ouverte.

Jamais Odeline n'avait ressenti de crainte devant Manassès de Hierges, même si elle avait perçu en lui des pouvoirs d'origine mystérieuse, mais indéterminée. Toutefois, devant ce garçon, elle n'avait pu retenir ses sentiments. Il était marqué du sceau de l'éternité comme ces êtres féeriques des temps anciens qu'elle adorait en secret et auxquels, parfois, elle adressait ses suppliques. Elle n'avait pas peur des bonnes dames ni des nutons de la forêt, mais ce que ce garçon portait en lui, à son insu, était si fabuleux qu'elle en était toute remuée.

L'adolescent retourna vers son père qui dormait à poings fermés. Il s'assit dans le fauteuil pour le veiller quelques heures, et s'endormit à son tour.

Du beffroi, grande tour de garde carrée où, jour et nuit, officiait un guetteur, monta tout à coup le carillon précipité de la cloche d'alarme. Pour les occupants du château, ce vacarme était une hantise puisqu'il signalait l'incendie. Réveillé en sursaut, Philémon réalisa qu'il suffoquait. La chambre de son père était remplie d'une épaisse fumée âcre et noire. Manassès toussait à en cracher ses poumons. Il faisait une chaleur insupportable. Se rendant compte que la fumée montait pour s'accumuler au haut plafond, l'adolescent poussa maladroitement son père en bas du châlit, puis entreprit de le traîner vers la porte. Ce fut seulement à cet instant qu'il comprit que le feu, qui semblait avoir débuté dans la chambre, les cernait. Le ventail de bois était en flammes. Impossible de fuir par l'escalier en colimaçon. Abandonnant momentanément Manassès, il voulut ramper jusqu'au mur où s'ouvrait la fenêtre pour hurler à l'aide. Il dut vite y renoncer. Le feu dansait à la croisée. Le vent en s'engouffrant avait sans aucun doute attisé les flammes des torchères qui s'étaient précipitées sur les tentures dont il ne restait plus rien qu'un amas de fils grésillants et rabougris. À court de ressources et de force, l'adolescent se traîna auprès de son père qu'il adossa au montant du châlit, puis se laissa couler contre l'épaule du vieil homme. Quitte à mourir, il songea qu'il était heureux que ce soit aux côtés de celui à qui il devait la vie, même s'il l'avait peu connu.

Ils étaient tous deux en train de sombrer dans ce monde dont on ne revient pas, quand des pas précipités parvinrent au cerveau anesthésié de Philémon. Mais il n'avait plus la force d'ouvrir les yeux pour voir ce qui se passait.

❦

Lorsqu'il revint enfin à lui, Philémon se rendit compte qu'il était couché sur les dalles froides de la salle d'armes, deux étages plus bas. Il leva maladroitement la tête et aperçut Manassès assis dans un fauteuil. Les yeux de son père captèrent son regard.

— Ça va, garz? demanda le patriarche, dont la voix rauque trahissait encore la gêne causée par la fumée.

Philémon avala sa salive, elle avait un goût de bois brûlé. Il se redressa sur son séant. À cet instant, arriva le capitaine de la garde.

— Messire, le pigeon que j'ai envoyé à Apremont pour porter votre message vient tout juste de rentrer au colombier. Dame Alise et votre fils Henri reviennent au château. Ils seront de retour en fin de matinée.

— Très bien! Que l'on nettoie ma chambre et qu'on l'arrange, il me tarde de réintégrer mon refuge, répondit Manassès. Tu devrais te récurer, toi aussi, Philémon. Pour un peu, on te prendrait pour le ramoneur.

L'adolescent examina ses mains et ses vêtements et se rendit compte qu'il était couvert de suie.

Dame Alise et Henri arrivèrent comme prévu à la sixième heure* du jour. Manassès et Philémon étaient en train de dîner en tête à tête dans la pièce commune où des valets avaient installé leur seigneur infirme. La châtelaine entra dans la pièce comme une tornade, avec un déluge d'imprécations à la bouche, dont elle abreuva Philémon.

— Tout cela est de sa faute, à ce bast! Je vous avais bien prévenu, mon ami, qu'il nous causerait mille soucis. Je ne veux plus le voir traîner au castel, renvoyez-le!

Éberlué par une telle entrée en matière, l'adolescent pinça les lèvres, incapable de se disculper, ne sachant pas, par ailleurs, de quoi on l'accusait. Quelqu'un cherchait-il à lui faire porter l'odieux de l'incendie? Serait-ce dame Odeline?

Devant le silence de son époux, dame Alise tourbillonna sur ses talons et s'en fut, faisant claquer les plis de son manteau de voyage qu'elle n'avait pas pris le temps d'ôter.

Henri, tout aussi muet que son demi-frère, demeura immobile, sur le seuil, ne sachant s'il devait suivre sa mère ou rester avec son père. Manassès l'invita d'un signe de la main à s'installer à table, et lui tendit une patte de lapin grillée qu'il préleva dans le plat devant lui à la pointe de son coustel.

— Que s'est-il passé? s'enquit le garçon en refermant ses mâchoires sur la chair blanche.

— Raconte! dit le seigneur de Hierges, en s'adressant à Philémon. Moi, je dormais, je ne connais pas tous les détails.

L'écuyer ne savait s'il devait parler du chant d'Odeline et de ses pratiques d'un autre âge. Dans la matinée, il avait narré à son père tout ce qu'il avait vu, dans les moindres détails, mais pouvait-il aussi se confier à son frère? Et que dirait Heribrand lorsque tout cela lui serait rapporté? Dame Odeline aurait beau jeu de l'accuser de mensonge; ils n'étaient que deux à savoir véritablement ce qui avait attiré Philémon dans la chambre.

Voyant son hésitation, Manassès l'encouragea à prendre la parole.

— Dis-lui la vérité, fillot!

Alors, Philémon entreprit la description de la scène qu'il avait d'abord observée à partir du pied du donjon, puis lorsqu'il s'était immobilisé sur le seuil de la chambre. Il avoua ensuite s'être endormi après le départ d'Odeline, sans prendre garde aux torchères toujours allumées et à la croisée ouverte.

— Cet incendie est de ma faute! baragouina-t-il, piteux. J'aurais dû faire preuve de prudence, éteindre les torches.

— N'en crois rien, Philémon, lui répondit son père. Tu n'y es pour rien.

— Hmm! fit Henri, la bouche pleine. Tu sais, je n'ai aucun mal à te croire au sujet d'Odeline. Elle me cause grande frayeur à moi aussi.

Il avala sa bouchée, puis en maintint une autre à mi-chemin de ses lèvres, en ajoutant :

— Depuis qu'elle est ici, la superstition a envahi tout le château. Les valets, les porchers, les souillons de cuisine, les servantes, tous les gens du commun la craignent et colportent d'étranges histoires à son sujet. Un jour, j'ai vu, moi aussi, des formes blanches sortir de la chambre qu'elle partage avec mon frère. Un instant, j'ai songé à aller y voir de plus près. Si j'avais été sûr de tomber sur un homme armé, je n'aurais pas reculé… mais… un esprit ?… Non, merci !

— Eh bien ! Quelle sorte de chevalier seras-tu donc, mon fils, si un fantôme te rend timide et tremblant dans tes chausses ! se moqua Manassès en ingurgitant une énorme portion de lapin qui lui arracha, aussitôt avalée, un puissant rot.

Le repas se poursuivit dans la gaieté. On y parla légendes, fantômes, superstitions jusqu'au dessert. Lorsque Henri les eut quittés pour soulager ses besoins naturels, Manassès fixa longuement Philémon.

— Je sais ce qui te tracasse, fils. Crois-moi, tu n'es pas habité par le mal. Pas plus que je ne le suis moi, d'ailleurs. Le sang de Mélusine qui coule dans nos veines ne nous prédispose pas plus à une mauvaise destinée que tout autre habitant de ce pays. Au contraire !

En entendant ces mots, Philémon sentit son cœur bondir dans sa poitrine. Il en était sûr, bientôt son père lui révélerait la cachette du second anel. Il savait désormais ce qu'il en ferait. Il y avait longuement réfléchi depuis plusieurs semaines. Sa décision était prise. Il le rapporterait à Jérusalem pour reconstituer l'anneau du Diable et ainsi, grâce à ses pouvoirs de protection, il sauverait son ami le roi Baudouin et permettrait que le royaume latin reste à tout jamais entre les mains des chevaliers chrétiens. Sa quête avait désormais un sens.

À suivre...

Note de l'auteure

Le récit des aventures de Mélusine et Raimondin est adapté de *Mélusine*, présenté par Jérémie Babinet, Techener Libraire, Poitiers, 1847, d'après *La Légende de Mélusine* de Jean d'Arras, 1387.

LIENS FAMILIAUX ENTRE PHILÉMON, LA PRINCESSE SIBYLLE ET BAUDOUIN LE ROI LÉPREUX

Raimonet **seigneur de Forez et de Hierges** épouse **Ermengarde de Hierges**	Hugues de Rethel épouse Mélisende de Montlhéry

Hodierne de Rethel
épouse
Heribrand de Hierges

Heribrand de Saussure seigneur de Hierges épouse Hedwige d'Orchimont Leur fils Heribrand de Hierges	Manassès de Hierges 1re épouse inconnue Leurs enfants Fadie et Audierne

Manassès de Hierges
1re épouse inconnue
Leurs enfants
Fadie et Audierne

———

épouse
Alvis de Ramla
sans descendance

———

épouse
Alise de Chiny
Leurs enfants
Heribrand, Henri, Albert,
Louis, Gautier
et Mélissandre

———

Helvis d'Irfoy
Leur fils
Philémon de Hierges

Texte romain : personnages historiques
Texte italique : personnages légendaires
Texte gras : personnages inventés
Liens de descendance inventés - - - - - - -

Ancêtre commun : Raimonet, dixième fils de Mélusine.
Hodierne de Rethel, grand-mère paternelle de Philémon, est aussi
la grand-tante de Sibylle, de Baudouin et d'Isabelle de Jérusalem.

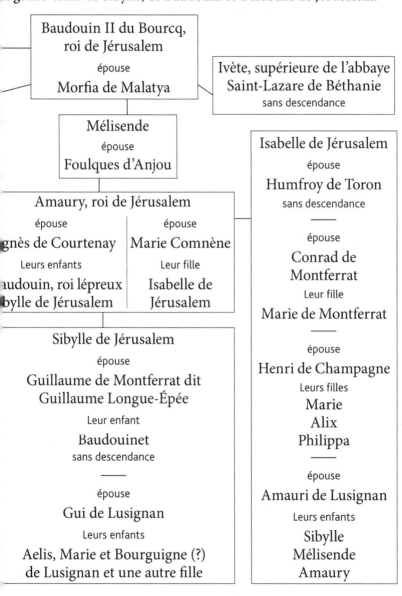

ARBRE GÉNÉALOGIQUE DU 11ᵉ ENFANT DE MÉLUSINE

Mélusine la fée épouse *Rémon de Sassenage*

Lucina de Sassenage
Artaud de Forez

Hector de Forez, seigneur de Sassenage
épouse
Blanche N., surnommée Cana

Guigues I de Sassenage
épouse
Audisia d'Iseron

Guigues II de Sassenage
épouse
Aynarde Aynard de Domène

Guigues III de Sassenage
épouse
Beatrix de Bérenger

Jean, moine chartreux
sans descendance

Méloé de Sassenage

Lexique

Banneret (un): Chevalier porteur d'une bannière, au service d'un autre chevalier.

Béjaune (un): Jeunot, jeune homme inexpérimenté.

Brant (un): Grosse épée à large et forte lame qui devait se manier à deux mains.

Caracal (un): Lynx du désert.

Cardeuse (une): Personne qui carde la laine, c'est-à-dire démêle les fibres et les nettoie.

Cervelière (une): Calotte de fer destinée à protéger la tête, portée seule ou sous le heaume.

Cimeterre (un): Sabre large et recourbé, qui s'élargit à son extrémité.

Coille (une): Testicule.

Conte (un): Récit de choses vraies au XIIe siècle.

Couard (un): Peureux, froussard, lâche.

Cuculle (une): Vêtement de laine à capuchon porté par les religieux.

Damoiseau (un) : Jeune noble qui n'est pas encore chevalier.

Dohanier (un) : Douanier.

Douer : Doter quelqu'un d'une terre ou d'une somme d'argent (dote) en guise de pension.

Drac (un) : Dragon.

Échauguette (une) : Guérite en bois ou en pierre sur la muraille, à l'angle d'un donjon.

Esclavine (une) : Vêtement d'homme, généralement à manches et à capuchon, pour le voyage, le travail ou à porter par temps de pluie.

Esquermie (une) : Mot du Moyen Âge, combat, lutte.

Faucheuse (la) : La mort.

Féaux (des) : Pluriel de « féal », personne au service d'une autorité supérieure. Par exemple, un chevalier est le féal d'un seigneur, lui-même féal d'un roi.

Froqué (un) : Religieux. Vient du mot « froc », vêtement porté par les moines, qui couvre la tête, les épaules et descend jusqu'au sol.

Gambison (un) : Vêtement ajusté, rembourré et sans manches, qui couvre les hanches.

Garz (un) : Gars, garçon.

Germain (un) : Au Moyen Âge, né de la même mère et du même père, frère.

Gouge (une) : Mot du Moyen Âge, débauchée, prostituée.

Guisarme (une) : Arme destinée aux gardes, dont le fer est muni d'un crochet d'un côté et d'une pointe de l'autre, et se prolonge d'une lame.

Homme d'armes (un) : Professionnel de la guerre. Il y a des hommes d'armes à pied et d'autres à cheval.

Hobereau (un) : Gentilhomme de petite noblesse.

Jouvenceau (un) : Mot péjoratif, jeune homme.

***Leus warous* (un) :** Mot du Moyen Âge, un loup-garou.

Loup-cervier (un) : Lynx européen.

Mangonneau (un) : Machine de guerre pour lancer des pierres ou d'autres projectiles.

Montée (une) : Escalier.

Parage (un noble) : De noble extraction, d'une bonne lignée.

Pavois (un) : Grand bouclier ovale ou rectangulaire.

Penailles (des) : Mot du Moyen Âge, guenilles, loques.

Périgrin (un) : Mot du Moyen Âge, étranger.

Pierre Scize : *petra incisa* ou pierre scize, pierre coupée en deux.

Rat-de-cave (un) : Bougie longue et mince.

Serve (une) : Masculin, serf. Personne attachée à un domaine, dont les biens et le travail appartiennent au propriétaire de cette terre.

Simples (des) : Plantes médicinales.

Sixième heure : Midi.

Sylve (une) : Forêt, bois.

Tabard (un) : Manteau court et ample, à manches formant des ailerons fendus, porté par-dessus l'armure ou la cotte de mailles.

Tiercelet (un) : Petit faucon mâle.

Toise (une) : Unité de mesure utilisée à partir du XIIe siècle. 1 toise = 1,80 m.

Vilain (un) : Paysan libre.

Winage (un) : Droit de péage sur une rivière, dans les Ardennes.

Suivez-nous

Achevé d'imprimer en février 2013
sur les presses de Marquis-Gagné
Louiseville, Québec